METAPHYSIQUE EGYPTIENNE : LA SAGESSE SECRETE (CONCEPTS ET PRATIQUE)

par Michel CATANEO

Édition : BoD – Books on Demand, 12/14 rond-point des Champs-Élysées, 75008 Paris
Impression : BoD - Books on Demand, Norderstedt, Allemagne
ISBN : 9782322203727
Dépôt légal : janvier 2020

9 782322 203727

A mes parents Christian et Mireille, à mes enfants, mes ami(e)s, amour, affection et gratitude,

Pour Agnieszka Krol, Asst, Het-Her, dans cette incarnation de la Ankh et tous les khéperou, sous le rayon de la Maât, qu'Amn-Râ-Pth t'accueille et que tes Ka soient unifiés dans la Lumière de Râ, sous l'élan du grand Faucon doré : Ankh, Oudjat, Snb !

FSC
www.fsc.org
MIXTE
Papier issu
de sources
responsables
Paper from
responsible sources
FSC® C105338

REMERCIEMENTS

Je tiens à remercier ici chaleureusement et fraternellement toutes celles et ceux qui m'ont aidé dans la conception de cet ouvrage qui sans lesquels n'aurait pu voir le jour et particulièrement :
Aubert Jean-Claude, Avondo Madeleine, Bonnet Gilbert, Cataneo Christian, Davelana Mag (Arpaix), Krol Agnieszka, Martin Audrey (Merkabas Soyeux), ainsi que toutes celles et ceux qui souhaitent garder l'anonymat ou sont passé à leur Ka, mais dont les écrits, paroles ou actions restent vivants dans mon coeur.

AVANT-PROPOS

Je n'avais pas sept ans mais je m'en souviens encore, comme si cétait hier.

Dans ma chambre trônaient bien rangés dans des bibliothèques de nombreux livres en tous genres appartenant pour la plupart à mon père :

Littérature française, poésie, histoire, dictionnaires, romans, bandes dessinées.

Mais les livres que je prenais et reprenais dans mes mains le plus souvent étaient les livres d'histoire, tout spécialement les livres sur l'antiquité.

Parmi eux, des ouvrages sur Rome, la Grèce, et surtout sur l'Egypte.

Un livre Egyptien en particulier me fascinait, et cela sans même avoir besoin de l'ouvrir :

Un livre de Christiane Desroches Noblecourt intitulé : " Toutankhamon, Vie et mort d'un pharaon ".

En effet, sur sa couverture figurait un des sarcophages du Roi, couvert d'or et incrusté de lapis-lazuli.

Cette image m'a beaucoup marqué car elle évoquait chez moi un mélange de puissance et de fragilité, mais aussi le silence, la mort, le secret, le mystère...

Je m'interrogeais dans mon lit sur ce que cela signifiait exactement et quel message ces personnes (humaines ?) avaient bien voulu faire passer, tout cela avec mes pensées d'enfant, sans bien sûr connaître les réponses.

Cette première rencontre a ouvert mon intérêt, puis ma passion pour l'Egypte antique : et Toutankhamon, à chaque fois, en a été l'élément déclancheur :

La première fois durant ma petite enfance, tel que je viens de le relater, puis en d'autres circonstances jusqu'à tout récement, le 30 mai 2019, lors de ma visite à l'exposition.

C'est en effet en pleine exposition Toutankhamon à Paris, devant les artefacts, que mon idée de faire ce livre sur l'Egypte a germée.

L'Egypte ancienne continue de faire rêver petits et grands, pour preuve en date cette exposition Thouthankamon[1] 2019 à Paris, qui a attiré les foules (1.500.000 visiteurs) trente trois siècles après son court règne.

Cela va faire bientôt deux cents ans que les hiéroglyphes ont été déchiffrés et la "parole perdue" peu à peu "retrouvée", mais l'Egypte garde néanmoins une partie de ses secrets.

Pour le grand public tout d'abord, car sa voix est noyée dans un conglomérat de **légendes**, **clichés** et **superstitions**, mais aussi pour une partie de la communauté égyptologique, car les **traductions** sont souvent prises à la lettre ou **mal interprétées**, l'objet étant imprégné par le sujet, les préjugés restent souvent tenaces.

Il en résulte que le **message Sacré** qu'elle contient, pourtant grandiose et **Universel**, reste paradoxalement méconnu, quand il n'est pas tout simplement nié.

---

1 Comprenant 150 objets, dont 60 n'avaient jamais quitté auparavant la terre d'Egypte !

Contribuer à faire ressortir quelque peu l'essence de la métaphysique égyptienne, ses conséquences et applications pratiques, en réunissant ce qui est épars **pour la rendre intelligible au plus grand nombre**, en cette nouvelle ère du Verse-Eau,[2] **tel est donc le but de cet ouvrage.**

Nous nous efforcerons tout au long de notre progression de démontrer, notamment avec de nombreux **textes** antiques à l'appui, mais aussi des **témoignages** de personnes de l'époque ou de **spécialistes** de l'Egypte, que :

– L'Egypte pharaonique est **monothéiste**, et non pas panthéiste-polythéiste, malgré les apparences ; les "divinités" n'étant "que " des fonctions révèlées de l'Unique caché, au moins pour l' "élite ".

– Les notions de "bien" et de "mal" sont liées au devenir de l'âme humaine et à des choix de vie eut égard aux **Lois Cosmiques**, immuablement préétablies.

– La **Magie** tient une place importante et s'applique à de nombreux domaines : Cérémonielle, bien sûr, mais aussi à la guérison, à la protection, la divination etc, et qu'aujourd'hui encore il est tout à fait possible de la pratiquer, dans les règles de l'art et en toute **authenticité**.

– La **réincarnation** apparait comme une évidence nécessaire dans le cycle des transformations, menant au retour (plus ou moins progressif) à l'Unité, par réintégration en pleine conscience de Soi, selon la qualité de l'appel vers le Divin et

2 Commencée dans les années 2010

l'application des Lois cosmiques.

- Des **écoles initiatiques** transmettent à des sujets "choisis", et donc à un très petit nombre, l'intégralité de la Sagesse Egyptienne, dont la Kabbale, la Gnose et l'Hermétisme sont encore imprégnés aujourd' hui.

- Les **hiéroglyphes**[3] ne sont pas de simples conventions de langage mais, par leur **symbolique**, racines et analogies, permettent, par le **Verbe**, d'appréhender la **Source** innefable.[4]

Puissent enfin les religions dites"du livre", à travers ce dépôt Sacré universel dont elles sont les filles, ainsi que plus largement les traditions Bouddhistes[5], Taoistes[6] et tous nos frères et soeurs, les chercheurs de Lumière sincères et ouverts de coeur, trouver l'occasion de progresser ensemble sur la Voie de la Lumière Divine, d' intensifier le dialogue Spirituel, pour une meilleure compréhension du Divin, dans la paix, la tolérance réciproque, l'amour, la compassion et la gratitude, pour le bonheur et l'épanouissement de l'humanité toute entière et de toutes les âmes, au présent et à venir ; car l'enseignement véritable de l'Egypte n'est pas un cumul de savoir, ni même une philosophie, mais un appel, une **méthode d' éveil universel de la Conscience** et **un hymne à la Vie**.

---

3 *Medou-Neter* : signes divins, parole sacrée, caractères sacrés, (par extension verbe créateur)
4 Amon (*Amn*) le caché, le Père, l'Un caché, le zéro métaphysique, l'être-non-être, Ein Sof Aur
5 *Veda, Upanishad*
6 Tao Te King, Yi King

INTRODUCTION

" La vie est la manifestation de l' Esprit dans la matière "

Lorsque l'on s'intéresse à l'Egypte antique, qui est une civilisation majeure et parmi les toutes premières, sinon la première dans l'histoire humaine chronologiquement[7], quatre ou cinq idées-forces complémentaires émergent à l'esprit :

7 Sortie vraisemblablement de la préhistoire il y a plus de 5000 ans (selon les découvertes et datations archéologiques actuelles).

La Vie, la mort, la magie, le secret et l'initiation.

C'est pourquoi j'ai retenu ce questionnement naturel comme fil conducteur pour l'élaboration du plan de ce livre.

Dans la première partie de cet ouvrage, intitulée *"Les secrets de la vie et de la mort"*, nous nous nous pencherons notamment sur ces questions fondamentales : Monothéisme/polythéisme, Lois régissant l'univers, réincarnation et parcours de l'âme humaine.

Puis, dans la seconde partie *"Pratiques magiques et initiation"*, nous étudierons successivement les diverses formes de magie dans l'Egypte antique, les écoles initiatiques, avant de nous interroger sur la place de la Sagesse égyptienne aujoud'hui.

Ce sera alors le moment de proposer dans une troisième partie *"Un système magique égyptien"* pour la magie pratique céremonielle et l'évolution spirituelle de l'opérateur et de ses proches, appliquant concrètement les bases solides acquises et développées tout au long de ce livre, un système authentique, car fondé sur la pure tradition égyptienne, telle qu'exposée ici.

Mais auparavant je voudrais vous faire part de mon émerveillement lorsque je découvris la sagesse égyptienne, il y a de cela vingt huit ans, presque trente ans...c'était en 1992.

Avant cette date j'étais, je l'ai déjà mentionné, très attiré par l'Egypte, sa civilisation, son esthétique, son ancienneté et sa longévité dans le temps.

Mais je ne connaissais alors pratiquement rien à sa Sagesse, aussi lorsqu'un ami avancé en matière de Tradition primordiale me donna les références des livres "d'Her Bak", ce fut pour moi alors comme une révélation !

La raison d'être de cet attrait me sautait alors évidemment et intuitivement aux yeux, et je dévorais d'un trait les deux tomes que je m'étais empressé d'acheter en sortant chez un libraire.

Suite à cette étincelle, je me mis à chercher d'autres documents sur le sujet, d'abord juste pour vérifier l'existence et la véracité des concepts (qui auraient pu eux aussi être romancés), puis systématiquement, afin de progresser dans une voie de la Connaissance qui me collait à la peau.

Au fil des années la somme des lectures et références s'est donc considérablement étoffée.

Parallèlement je pratiquais beaucoup d'arts martiaux : L'Aïkido (ou "voie d'harmonie des énergies") de Moriheï Ueshiba Senseï m'avait appris à la fois à ne pas négliger mon corps, à l'entretenir et le fortifier, mais aussi l'importance du souffle ainsi qu'une autre approche métaphysique (Japonaise).

L'approche Chinoise, plus "souple", m'avait aussi attiré : C'est pourquoi j'ai aussi pratiqué par la suite le Wushu puis surtout le Wing Chun (lignage Ip Man Hong-Kong).

Hormis un gain de confiance en moi et en mon corps non négligeable, tous ces arts martiaux utilisaient les forces antagonistes de la nature, l'adaptation, l'intuition et la complémentarité.

Vivre dans l'instant, dans le présent, toujours être prêt mais néanmoins éviter le combat tant que le point de non retour n'est pas atteint, car le seul vrai combat à mener est contre soi-même : voilà des valeurs qui me parlent et surtout aptes à recevoir des applications concrètes !

Je portais alors tout naturellement mon intérêt à la méditation, qui permet aussi la maîtrise de soi, de faire le calme en soi et de se recentrer sur notre être intérieur et sur l'instant présent, seul moment réel de nos vies, quoique éternellement en mouvement et transformation.

Pour progresser dans cette voie, les techniques du bouddhisme enseignées par Matthieu Ricard et Eckhart Tolle m'apportaient beaucoup.

J'en viens alors à m'intéresser complémentairement à la lithothérapie, puis aux chakras et méridiens, au kundalini-yoga et au magnétisme.

C'est par cette volonté "d'auto-guérir" de corps et d'esprit et parralèlement d' acquérir la pleine capacité d'aider les autres que j'en viens alors à pratiquer la Magie blanche et tout spécialement la "haute magie" cérémonielle et théurgique.

Ma base chrétienne de naissance (baptisé catholique puis initié à la G.L.N.F. au rite chrétien et chevaleresque du R.E.R. à l'âge de 26 ans) et ma connaissance de la Kabbale me poussent alors à approfondir et pratiquer ce que j'appelle par simplification "la magie blanche judéo-chrétienne", magie à partir de laquelle j'opère toujours.

Cette vision théorique et pratique transversale de la Tradition primordiale m'incite alors à élargir ma pratique magique cérémonielle aux rituels égyptiens de la *Heka* et à axer mes recherches en ce sens.

Vous connaissez la suite et les circonstances dans lesquelle je décide de me lancer dans la rédaction de cet ouvrage.[8]

Je m'excuse de vous avoir parlé de ma vie, mais cela s'avèrait doublement nécessaire car, s'agissant de mon premier ouvrage en matière de Spiritualité, le lecteur est en droit d'en savoir un peu plus sur l'auteur.

Car je suis surtout connu jusqu'à présent du grand public pour d'autres activités "officielles" passées (mon engagement Gaulliste[9] en politique, mes anciennes activités de production en matière de phonogrammes et vidéogrammes, d'organisateur de spectacle vivant, ou encore ma période de formateur pour des grandes écoles en finance de marchés[10], ce que j'appelle ma période matérialiste) il était donc particulièrement important pour moi de vous présenter cet aspect de ma vie, dont les activités magiques, de périphériques et occultes, sont progressivement devenues mon centre.

---

8 Cf la bibliographie en fin d'ouvrage, pour celles et ceux qui souhaiteraient aller plus loin et en consulter les sources.

9 Je rêvais d'une France de nouveau libre et indépendante, non tutélisée et infantilisée, permettant ainsi de la remettre au service de l'intérêt général, du peuple, et donc finalement de tous (la Maât...?)

10 Dont plusieurs ouvrages édités aux éditions Gualino (aujourd'ui L'extenso).

Ceci étant dit, je vous propose à présent de découvrir la première partie de l'ouvrage, qui est consacrée aux secrets de la vie et de la mort.

PREMIERE PARTIE : LES SECRETS DE LA VIE ET DE LA MORT

"Tu es le Temple dans lequel repose le Neter des Neter : Eveille ce Dieu, ensuite laisse crouler le Temple".

Avant d'aborder successivement les trois chapitres de cette première partie, je voudrais m'adresser à chacun d'entre vous, ô toi lecteur, mon frère, ma soeur, chercheur de Lumière, qui feuillette ce livre et lis ces quelques lignes.

Si tu fais cette démarche c'est que tu as, tout comme moi, la passion de l'Egypte et une soif de Connaissance, et peut être en plus ce que l'on appelle "une poussée qualitative du Neter".

Toutefois nous ne nous connaissons pas pour la plupart personnellement, ou pas encore, et chacun a son propre parcours intérieur, son histoire, sa perception, ses interrogations, sa culture sociale voire magique, ses propres bases, sa propre culture locale initiale.

C'est pourquoi, chère soeur, cher frère, avant d'aborder ces trois chapitres, j'ai cru bon de te faire part de **quelques concepts fondamentaux** auxquels je crois[11] fermement et qui seront expliqués en détails tout au long de cet ouvrage, ainsi que de quelques définitions comme les hiéroglyphes, la symbolique, les Neterou, la métaphysique, afin que nous puissions nous assurer de tous **parler le même langage** et donc se comprendre clairement tout au long de cette lecture, que je te souhaite agréable.

Mais si tu penses déjà maîtriser suffisament tout ceci, tu peux te rendre directement au Chapitre premier ; si tu es gagné par la curiosité ou ressens le besoin d' une révision rafraichissante, suis-moi dès à présent dans ces premiers développements.

11 En fait ce ne sont pas des "croyances" mais plutôt des convictions, des certitudes, résultant de recherches et de mon être intérieur

Lorsque l'on souhaite connaître les "arcanes" de la **Sagesse égyptienne antique**, il convient tout d'abord de se nourrir de son **symbolisme** pour pouvoir pénétrer au coeur de sa métaphysique et l'assimiler progressivement, comme un enfant son alphabet, afin de parvenir ensuite à lire "le livre de Thot" (qui créa le monde par le Verbe) et espérer à terme se confondre avec la "Maât" (Justice et Vérité) dans la Lumière d'Amon-Râ.

En effet, **appréhender Dieu, la Source**, le Divin, le Créateur, le Père, le Grand Architecte, la Puissance ultime,..., quel que soit le nom[12] que vous lui donnez, n'est pas *apriori* une mince affaire.

Chercher à le nommer par nous même est un vain dessein orgueilleux et voué à l'échec.

Dès lors son "Nom" ne peut être qu'une convention humaine, plus ou moins explicite et approximative, à moins qu'il n'émane de Lui, c'est à dire qu'Il le révèle Lui-même à qui Lui plaît.

Par ailleurs, il est **très difficile**, voire impossible, pour une créature "née d'un ventre" de connaître **directement** la Cause.

12 Mais peut-on, ou doit-on justement le nommer ?...

Mais que le lecteur se rassure, car on peut cependant **l'approcher indirectement, grâce aux "empreintes" ou "signatures" qu'il a laissé dans sa propre création**, c'est à dire par les symboles, les analogies, les lois cosmiques, la géométrie les nombres, l'astrologie, l'arbre de vie, ses manifestations, fonctions, attributs, émanations, interventions etc... (c'est ce qui nous étudierons ensemble).

Dès lors les mots étant pratiquement impuissants pour accomplir cette mission, il est donc nécessaire de recourir à autre chose : C'est là que les symboles entrent en action.

Il est à cet égard plus que probable que le symbolisme soit apparu avant les langues[13] comme premier moyen de communication (ce qui explique notamment son universalité et ses correspondances spatio-temporelles) quand l'homme n'était pas encore dit "moderne" (?) et donc baignait dans la Nature, avec cependant des sens intuitifs généralement mieux aiguisés et exprimés.

Les **hiéroglyphes**, caractères ou écriture sacrés, sont "des **imitations plus ou moins exactes d'objets existant dans la nature**".[14]

Selon J.F. Champollion lui-même, seuls doivent recevoir cette appelation les **caractères sculptés ou peints pour décorer les monuments publics ou privés** (les méthodes linéaire, hiératique et démotique n'en étant que des abréviations et donc déjà des dérivées).

---

13 En ce sens par exemple : F.PORTAL symboles des égyptiens ; J.F. CHAMPOLLION Grammaire égyptienne ; R.A. DE LUBICZ le temple dans l'homme.

14 Cf CHAMPOLLION op. cit.

Plus précisemment la méthode abrégée linéaire servait généralement d'écriture sur papyrus, sarcophages, objets précieux, bijoux.

Mais cette méthode nécessitant néanmoins un bon niveau de dessin (et donc beaucoup de temps et un talent certain), d'autres niveaux d'abréviation furent aussi employés (d'où les formes hiératique et démotique qui suivirent, surtout concernant la vie profane au quotidien et l'administration) ; cette dernière expression était la forme écrite employée par le peuple, d'où sortira plus tard le Copte hélènisé.

Les égyptiens avaient donc deux moyens d'expression écrite distincts, l'une **Sacrée**, l'autre profane ou populaire.[15]

C'est n'est donc qu'auprès des seuls supports sacrés (sculptés ou peints sur les bâtiments publics et privés) que le vrai sens symbolique des hiéroglyphes se manifestera à nous.

Par ailleurs, le chemin initiatique[16] étant progressif, les adeptes apprenaient d'abord le hiératique et le démotique avant d'aborder, pour les meilleurs, les **hiéroglyphes sacrés (medou neter)** et leur symbolique, en même temps que d'autres arts (géométrie, astrologie...), dans un circuit adapté aux capacités du sujet, depuis l'expression écrite la plus profane à la plus Sacrée, de la périphérie, du péristyle au naos, au coeur pour

15 D' autres formes de symboles étaient employés : par exemple la géométrie sacrée dans l'architecture, la numérologie, l'astrologie, ceux de la divination et des rêves, les contes, légendes, mythes, mystères, cérémonies publiques...

16 Cf seconde partie chapitre 2

ceux qui avaient "ressenti l'appel" et en avaient été jugés dignes.

Ce dernier niveau était donc réservé à une **élite de scribes autorisée**, capable de pénétrer au coeur des Medou-Neter, le véritable langage sacré des égyptiens.

C'est à ce propos qu'il faut mentionner des faits pour le moins extraordinaires, mais basés sur des éléments néanmoins vérifiables, et qui sonnent un peu comme un corrolaire à ce qui a été dit précèdemment.

Il existe en effet une thèse prétendant que les égyptologues ne savent toujours pas vraiment traduire les hiéroglyphes sacrés, ces fameux Medou Neter sur les temples et monuments...

Oui, vous avez bien lu et la piste semble assez sérieuse, du moins assez pour être mentionnée ici, je vous laisse bien entendu à vos propres conclusions et à votre libre jugement :

Tout d'abord nous venons de voir que, **même chez les égyptiens antiques, l'accès, la compréhension, la traduction et la maîtrise des hiéroglyphes sacrés de Thot était réservée à une élite, un petit nombre choisi.**

Imaginons donc à présent par contraste, malgré des qualités indéniable, l'égyptologue moderne lambda face à un mur[17] de Medou-Neter qui doit retrousser ses manches afin de proposer la plus juste des traductions...qui par définition doit revêtir un haut degré de symbolisme dévoilé à des initiés : On

17 Dans tous les sens du terme

voit donc le coeur du problème.

Mais alors, direz-vous aussitôt : Et Champollion ? Et sa grammaire, son système, son alphabet ? Les cartouches royaux ? La pierre de Rosette etc ?

C'est justement et précisément à ce propos que des évènements très troublants reviennent à la surface et rajoutent à la confusion lorsque l'on se penche dans les détails sur les circonstances des découvertes de Jean-françois Champollion et que l'on examine les enchainements des faits chronologiquement :

Tout d'abord il faut rappeler qu' avant Champollion on ne partait pas de zéro ; quelques auteurs majeurs avaient même donné la voie, les clés, du décriptage des Medou-Neter.[18]

Chaeremon (Chérémon d'Alexandrie), vivait au premier siècle de notre ère mais était un **prètre égyptien** et surtout le **chef des grammairiens** à la bibliothèque d'Alexandrie du Sérapéum (celle qui n'a pas été brulée par Jules César), donc un **scribe sacré gardien de la Tradition**, ce qui lui donne une autorité officielle, authentique et irréfutable.

Il a écrit un livre du nom de "Hieroglyphica" dont nous possédons quelques fragments (mais qui est cité à plusieurs reprises plus tard par de nombreux auteurs, notamment par Porphyre, Clément d'Alexandrie, puis par Jean Tzétzés dans son "Aegyptiaca").

Clément d'Alexandrie (dans son Livre V des

18 Afin que la Tradition ne se perde pas au moment de la "décadence".

"**Stromates**") synthétise parfaitement toutes ces informations éparses sur le décryptage des Medou-Neter :

*"**Ceux qui, parmi les égyptiens, recevaient de l'instruction**, **apprenaient** avant tout un genre de lettres égyptiennes appelé épistolographique ; en second lieu l'hiératique dont se servaient les hiérogrammates **et enfin la hiéroglyphique.***

*La hiéroglyphique était de deux genres : l'une cyriologique, **au moyen des lettres primaires**, l'autre **symbolique**.*

*La **méthode symbolique** se subdivise en plusieurs espèces : L'une représente tous les objets en propre par imitation, l'autre les exprime d'une façon tropique, la troisième entièrement par **allégories** par certaines **énigmes** et anaglyphes".*[19]

Cyriologique signifie à la fois que l'on utilise la première image des mots hiéroglyphisés pour leur utilisation phonétique, **mais aussi afin de visualiser un texte dont elle constitue la clé**.

Tropique désigne ici un d**étournement de sens** et une transposition de signes, par **analogie**.

Anaglyphe signifie que l'on exprime un **double sens**.

19 Mettant en œuvre des éléments concrets, chaque élément correspondant à un contenu abstrait. Cf aussi Tzvetan Todorov "Théories du symbole" Points Essais (2017) citant Clément d'Alexandrie "Stromates" V; 20.3-21.2

Notons au passage que Platon, qui était allé en Egypte, employait parfois cette tournure utilisant la première lettre.

Nous voyons donc que **l'écriture égyptienne en "medou neter' ne se résume pas à un alphabet phonétique** et que surtout **l'aspect idéogramme a un poids très important en pratique**, et enfin que les sons phonétiques, lorsqu'ils sont utilisés, le sont aussi selon une autre approche, offrand une clé cyriologique.

L'écriture hiéroglyphique (Medou-Neter) peut donc être "*une scène*" (cf. Jamblique VII,2-3) ou "*une iconophrase*" (cf. A. Kircher "Oedipus Aegyptiacus" et Clément d'Alexandrie "Stromates").

"Les sages d'Egypte, pour désigner les choses avec sagesse, dessinent des images dont chacune est celle d'une chose distincte ; ***chaque signe gravé est*** *une science,* ***une sagesse****, une chose réelle saisie d'un seul coup* ***et non une suite de pensée commune****, un raisonnement ou une délibération"* (Plotin Ennéades V, 8, (31)).

"Ce n'est pas un agencement de syllabes qui, dans leur écriture, rend l'idée à exprimer mais une signification symbolique *attachée aux objets qui sont copiés"* (Diodore de Sicile III,4,1)

Ces explications divergent donc du concept d'alphabet phonétique égyptien tout puissant, fondé sur la simple transcription phonétique de cartouches royaux, formulés d'ailleurs phonétiquement dans des langues étrangères.

Dès lors les tenants de cette thèse pensent légitimement douter de la précision du "système Champollion" de 1822, car un tel alphabet ne peut faire, en somme et dans ces conditions, un langage universel cohérent et compte tenu en sus que les hiéroglyphes, les vrais, les Medou Neter, sont avant tout une écriture symbolique et non une écriture phonétique.

Ceci pourrait en dire long sur les traductions divergentes et querelles de traducteurs, traductions souvent vides se sens ou trop litérales, voire romancées alors qu'une autre clé de lecture peut être utilisée.

Par ailleurs **Aristote, précepteur d'Alexandre le Grand,** a notamment écrit un livre intitulé "*Traité de la philosophie selon les égyptiens*".

Outre qu'il qualifiait les égyptiens comme *"les plus anciens des hommes"* et l'Egypte comme *"le berceau des arts mathématiques"* (comprise à cette époque comme la science des nombres, la géométrie, l'harmonique et l'astronomie), il écrit :

"La pensée de l'homme est variable ; mais ce sont les vraies formes invariables que l'homme doit s'efforcer d'atteindre, l'élevant par ce seul moyen vers son origine". Il ajoute :

Les égyptiens, ayant connu les formes spirituelles, gravaient ces conceptions par des figures *ornant les pierres des murs des temples ; ils en usaient de même pour tous les arts* ***afin d'indiquer que l'esprit immatériel avait tout créé."***

Tout ceci tend à confirmer que la compréhension et la traduction des hiéroglyphes Medou Neter ne peut partir que d'une base spirituelle, donc symbolique et idéographique, ce qui est logique car ils sont sacrés (comme leur nom l'indique).

C'est d'ailleurs pourquoi peu d'égyptiens de l'époque y avaient accès et expliquerait pourquoi aujourd'hui encore les traductions modernes peuvent poser des problèmes de sens.

Mais l'histoire ne s'arrète pas là, et cela a pour effet de faire monter la polémique à son paroxysme :

Jean-François Champollion lui-même, avant d'écrire en 1822 sa célèbre"*Lettre à Monsieur Dacier*" puis son "*Précis du système hiéroglyphique*" en 1824, avait cependant déclaré dès 1810 (soit douze ans avant) à l'**Académie Delphinale** (de Grenoble) :

"La véritable écriture sacerdotale, qui n'était comprise que par les prêtres, était la symbolique, dont ils ne communiquaient qu'aux initiés et aux premières classes de l'Etat."

Il récidive en ce sens deux ans plus tard, en 1812, dans **son livre *"De l'écriture des anciens égyptiens"*** (qu'il est très difficile à consulter aujourd'hui car il en a fait retirer la plupart des exemplaires en circulation...quelques mois à peine après leur publication...pour les brûler!)[20] :

"Une longue étude et une comparaison attentive des textes hiéroglyphiques nous ont conduit vers la conclusion

20 Aurait-il eu quelques pressions ?...

que LE SYSTEME N EST PAS ALPHABETIQUE".

Voilà qui ne peut être dit plus clairement ; cependant nous savons qu'**il déclarera exactement le contraire en 1824** dans son "Précis du système hiéroglyphique des anciens égyptiens" (Paris Treuttel & Würtz p 50) :

"Les signes reconnus pour phonétiques dans les noms propres conservent cette valeur phonétique dans tous les textes hiéroglyphiques où ils se rencontrent".

Ce qui est, il est vrai, un revirement total et inattendu et contraire à l'esprit authentique des Medou Neter tel qu'il le concevait lui-même avant cette date, alors à l'unisson avec les commentateurs de l'antiquité ayant autorité...

Pour Champollion, finalement, l'alphabet a donc une portée universelle puisqu'il s'applique, selon lui en 1824, même donc en dehors des noms propres et cartouches royaux.

Pour en finir avec cette polémique, je dois citer deux autres auteurs, tout d'abord Albert Slosman, qui a, entre autres, le mérite d'avoir traduit le Chapitre XVII du livre au sortir du jour selon le Papyrus d'Ani **en suivant la méthode antique** (Albert Slosman in 'Le livre de l'au delà de la vie" Ed. BAUDOUIN 1979 p 67) , et on peut dire qu' il n'y va pas avec le dos de la cuiller, jugez-en plutôt :

*"La **démonstration de l'inutilité de l'alphabet dû à Champollion est facile à faire** lorsqu'il s'agit de lire un texte hiéroglyphique. Prenons par exemple le Nouveau Testament lorsqu'il s'agit de traduire MARIA (en Japonais) : MA-LI-YA*

est le plus approchant phonétiquement mais ces trois hiéroglyphes ne veulent en aucun cas signifier MARIA en Japonais : MA=JASPE, LI=BENEFICE, YA=DEUXIEME".

Et Albert Slosman n'était pas un homme dénué d'intelligence et de rigueur, passionné par l'Egypte antique, il était non seulement Professeur de mathématiques mais aussi un expert en analyse informatique et a participé notamment à ce titre aux programmes de la NASA pour le lancement de Pioneer sur Jupiter et Saturne.

Et pour finir sur ce sujet je citerai **Enel**[21] (qui est le pseudonyme de Michel Vladimirovich Skariatine), égyptologue russe (1893-1963) :

"***La langue hiéroglyphique*** *possède des facultés merveilleuses dont sont privées les langues purement phonétiques.*

Outre la possibilité d'exprimer la langue parlée par la phonétique des mots, elle représente au moyen de son idéographie la composition de l'objet dont il est question et, ***par le symbole attaché au signe, révèle l'essence*** *constructive* ***des êtres et des choses*** *qu'elle nomme."*

" Le ***coté ésotérique*** *de la langue égyptienne* ***reste*** *inconnu, ou plus exactement,* ***méconnu****.*

Les savants s'efforcent de reconstituer ses règles compliquées d'éthymologie et de syntaxe, et s'obstinent à ne pas voir que les hiéroglyphes, outre leur signification énoncée,

---

21 *In* "Gnomologie" (cf bibliographie)

d'ailleurs essentielle, possèdent un ***pouvoir de révélation et d'enseignement*** *plus* ***important*** *encore.*

C'est pour cette raison que la philosophie, ***l'essence*** *de la religion des hiérophantes,* ***nous échappe.***

Nous basant sur des textes religieux, dont nous ne connaissons que les ***traductions littérales****, nous croyons que cette religion était enfantine, composée de superstitions, dénuée de philosophie."*

Ceci étant dit, au regard de tous ces éléments chacun se fera sa propre conviction, ou du moins sera beaucoup plus rigoureux avec les diverses traductions proposées, prendra quelque recul lorsque les traductions sembleront floues, invraisemblables ou lorsque le traducteur mentionnera une probable "erreur de scribe" (?) et recherchera alors s'il existe un **sens caché derrière des apparences littérales.**[22]

Je vous propose à présent de nous pencher sur les trois définitions suivantes :

1.Qu' est ce qu' un symbole ?

Un symbole donne une **signification par évocation** (d'une image, d'une lettre, d'un mot, d'un geste, d'un son,...) , il est une **synthèse** ; un symbole **révèle l'invisible par le visible**.

22 Cf aussi en ce sens Grégoire Kolpaktchy dans son introduction au "livre des morts".

La racine du mot *sumbolon* est grecque et les *sumbola* représentaient les deux moitiés séparées d'un objet que l'on avait brisé en diverses occasions.

Le verbe *sumballein* signifie **réunir, rassembler** (ce qui est épars) ; le symbole est donc synthétique (non analytique), analogique et intuitif.

Le symbole est un signe qu'il faut apprendre à lire, à déchiffrer, et pour déchiffrer la symbolique d'une écriture il faut en connaître les codes.

Or, les lois d'une écriture symbolique n'ont rien de commun avec la construction grammaticale de nos langues dites "modernes".

C'est donc une grave erreur de s'imaginer qu'on puisse rejeter la symbolique du seul fait que l'on croit avoir connaissance d'une écriture exprimant toute la "pensée", comme nos langues alphabétiques "modernes" qui, elles, ignorent la transcription ésotérique du symbolisme imagé, ou du moins en ont perdu le vrai sens originel (sans revenir toutefois sur la "polémique" largement exposée ci-dessus).

Il est vrai que la plupart des traducteurs, dont il convient de ne rien enlever au professionnalisme et à l'enthousiasme, n'ont pas été préalablement formés à relever celui-ci.

Ce biais est hélas accru car les traductions des Medou Neter et du hiératique, voire du démotique, sont toutes mises sur un pied d'égalité de sens (or nous savons qu'il y avait une hiérarchie du sacré).

Le processus de numérisation enfonce le clou, dans la mesure où les Medou-Neter ne sont pas la priorité, jusqu'à présent, dans le processus de codification informatique des hiéroglyphes.[23]

Il existe en effet des problèmes pour le codage des hiéroglyphes, et notamment les sacrés (sur les monuments), il semble que la priorité, à partir de la liste Gardiner révisée, ait été donnée à l'écriture hiératique.[24]

Pourtant, **sous des images concrètes sont enseignés des principes abstraits, révélateurs de Lois fondamentales** ; bien plus, un symbole est la forme vivante d'une **Loi.**

Ils révèlent l'invisible par le visible car la langue égyptienne est construite selon une Connaissance profonde de la manifestation.

Les symboles sont donc des clés servant à ouvrir les porte de la dimension Spirituelle.

Ainsi, **l'enseignement véritable de l'Egypte** n'est pas un savoir, ni même une philosophie, mais **un appel, une méthode d' éveil de la Conscience**, permettant de vaincre définitivement la mort.

Les hiéroglyphes ou Medou Neter, sont Sacrés car ses symboles proviennent d'une science Divine, c'est à dire d'une compréhension des **lois de la vie**, qui de ce fait sont

23toujours incomplète et en cours à ce jour

24 En ce sens, Serge Rosmorduc in Document numérique 2002/3-4 (Vol.6), p 221 à 224 Editions Lavoisier

immuables.

Cette science Sacrée n'a pas été produite par un "prophète" unique identifié (comme c'est le cas la plupart du temps pour des religions), mais a été peu à peu révélée, codifiée, de Sage en Sage, selon un ordre progressif et planifié, permettant d'**objectiver la pensée** , de créer un pont entre le microcosme et le macrocosme.

Pour ma part j'ai donc la conviction que la langue Egyptienne (Medou Neter) est, avant tout, une langue à **idéogrammes**, c'est à dire construite non pas avec les signes abstraits d'un alphabet conventionnel, mais avec des dessins, des images[25] afin d'**éviter le cloisonnement**, la limitation[26] et permettre la richesse du message par une action de décodage et des **lectures à plusieurs niveaux**.

Prenons quelques exemples plein d'enseignements :

pth

Pth représente l'énergie créatrice, cause de vie dans la manifestation, mais "ligotée" dans la matière, annonçant Ouser ou Ousir (Osiris). Le Ciel est ligoté dans la terre.

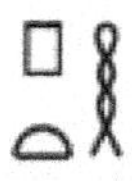

25 La démarche est très similaire pour l'écriture chinoise

26 Le dualisme séparateur (Seth)

htp

Notons que Htp (offrande) est l'inverse, le miroir de Pth, cela signifie qu'en inversant la chute, c'est à dire en remontant progressivement vers la Source et la Connaissance, **Pth peut être de nouveau délivré.** Le Ciel et la terre communiquent de nouveau.

Htp veut dire être en paix, être satisfait ; il y a derrière un sens d'offrande mais aussi un équilibre, un état de grâce entre le don et la réception. En liant les deux idéogrammes Pth et Htp on a donc la voie de libération de l'âme : Par le don (offrande) de son égo (inek) à la Maât, sa nourriture, pour trouver le Soi (iou) et la paix (intérieure comme extérieure) qui est l'offrande de Dieu.

Ais

Ais est le moi, le relatif, la puissance cérébrale, la pensée, la dualité.

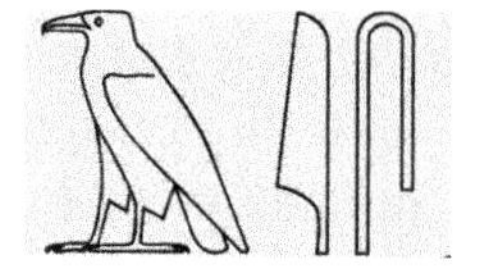

sia

Sia est **la Sagesse**, le discernement du moi (inek) et du "non-moi" (iou), l'entendement, l'intelligence intuitive qui donne la Conscience vitale lorsque la pensée est soumise au coeur de l'homme, son neter personnel, une synthèse unificatrice et non plus un analyse séparatrice.

aas

Aas est le cerveau, la division, l'analyse, le mental, l'égo, l'erreur séthienne.

saa

Saa est l'homme Sage, celui qui a soumis Soutekh (Seth) à Her ou Hor (Horus), c'est à dire qui maîtrise ses passions et a dompté ses instincts animaux. C'est aussi la synthèse, le coeur, la voie cardiaque (de l'intuition, de la compassion, lorsque l'on a trouvé son propre centre, ouvert de coeur). C'est donc celui qui a inversé la tendance, qui n'écoute plus le Moi (inek) car il est mu par la Conscience vitale.

reh

Reh est le destructeur, le séparateur, prototype de Soutekh (Seth), l'inverse de Her (Horus).

her

Her est Horus, ou encore la face du visage, le miroir du Verbe solaire, le siège des sens internes qui, lorsqu'ils sont éveillés en l'homme (qui s'est éloigné de Reh) l'aident à fixer le **Ka Divin** par attraction au ka humain, devenant ainsi un rayon de la Maât, la Conscience supérieure obtenue par la Connaissance.

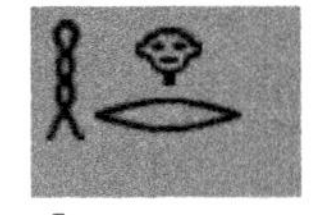

horus

heka

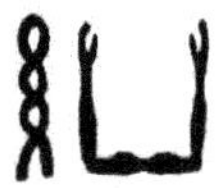

Heka est la magie, avec l'idée de captation de l'énergie (avec les bras) et de fixation (par un mot, une image, une visualisation), suivi de sa projection.

iaaou

Iaaou est **l'Etre** ; "ia" exprime **la Source**, et **la**

potentialité de ses deux pôles masculin et féminin.

iaaou

"aou" exprime la substance, la possibilité de volume, d'espace, de dilatation.

C'est Dieu, pur Esprit, avant la dualisation-manifestation, c'est **l'Unité-Origine**.

Ce nom agit comme un mantra très puissant : Lorsque je le fais vibrer, ma colonne réagit et mes mains se chargent d'électro-magnétisme ! Le résultat est incroyable ! Je vous laisse imaginer l'effet dans le cadre de son incorporation dans un rituel complet...[27]

Il est remarquable à cet égard de constater que YAHO, dans la Kabbale hébraïque, désigne le nom divin auquel est oté le second "Hé", et est considéré comme "la **charpente des six directions de l'espace** scellé par ce nom".[28]

27 Cf partie 3 chapitre 2

28 In Virya "Kabbale extatique et tsérouf Editions LAHY (2003) p 136-137 ; la filiation est, encore une fois, flagrante.

nfr

nfr

Nfr (ou nefer) est un signe trilitère (trois consonnes) qui signifie la perfection.

Si l'on observe sa symbolique générale, il représente le coeur et la trachée artère.

Mais allons plus loin : On voit un signe vertical avec un lien, un canal entre ce coeur (ib ou ab) et la trachée, zone aussi du larynx et donc des cordes vocales d'où est émise la parole.

Le long trait vertical est coupé en haut par un fin trait horizontal qui évoque l'idée de croix.

Si on réduit la trilitère nfr en trois unilitères n, f, et r on remarque aussi que n est l'onde vibrante qui transmet l'énergie , r est la bouche qui transmet la parole ou qui respire ou qui mange, avec ses fonctions active et passive

Entre les deux, f, le souffle d'Amon, l'énergie vitale.

Il résulte de tout ce qui précède que nfr est perfection car son medou neter indique qu'elle est le résultat de l'adéquation entre la qualité du coeur et de la parole (un coeur juste, une parole juste).

"Ce qui sort de la bouche vient du coeur, et c'est ce qui souille l'homme. Car c'est du coeur que viennent les mauvaises pensées, les meurtres, les adultères, les impudicités, les vols, les faux témoignages, les calomnies. Voilà les choses qui souillent l'homme, mais manger sans s'être lavé les mains, cela ne souille point l'homme". [29]

"Ne dissocie pas ton coeur de ta langue et toutes tes entreprises réussiront.Que ton intelligence comprenne mes paroles et que ton coeur les mette en pratique, car celui qui les néglige ne connaît plus la paix intérieure". [30]

La croix formée par le lien vertical partant du coeur et coupant la trachée indique que cette perfection s'obtient lorsque l'on a trouvé son centre, son coeur, ce qui permet alors la montée verticale vers Râ-Maât, la jonction de l'âme-Esprit, la réunification des ka libérant le ba.

C'est ce travail qu'il convient de faire systématiquement lorsque l'on recherche la symbolique cachée des medou-neter.

Ainsi en Egypte antique, l'écriture avait un double sens :

29 Cf Evangile selon Saint Matthieu 15;18-20

30 Cf Sagesse d'Aménémopé (Papyrus n°1074 BM EA10474,4) daté de -1360 av JC

la majorité des gens lisait des caractères "morts" tandis que les initiés méditaient sur leurs symboles.

Dans leur usage courant, les signes hiéroglyphiques (du Grec *hieros* "sacré" et *gluphein* "graver") que l'on rencontre peuvent être des idéogrammes (ils représentent des objets ou des actions) ou des phonogrammes (ils représentent des sons), ou les deux.

Ils s'écrivent en lignes horizontales ou en colonnes verticales.

Dans le premier cas on les lit de gauche à droite ou de droite à gauche (selon le sens d'orientation des êtres animés présents).

Dans le second cas on les lit toujours de haut en bas (jamais du bas vers le haut).

Lorsque deux signes sont superposés, la priorité de lecture revient à celui du haut.

Certains hiéroglyphes sont dits décalibrés, c'est à dire qu'ils sont d'un format plus grand que les autres du texte étudié.

Ils forment alors une scène autonome, ou une image, voire un motif iconographique embellisseur, ou servent des besoins magiques ou rituéliques (par exemple une amulette), parallèlement à leur rôle d'idéogramme ou de phonogramme dans le texte.

Ce procédé de décalibration d'un signe ou groupe de

signes hiéroglyphiques n'est donc pas réservé exclusivement au domaine des déterminatifs des noms propres.

Quelquefois donc un signe représente ce qu'il décrit, ou il a une valeur iconographique, mais aussi le rapport peut être phonétique (je ne reviendrai pas ici sur la "polémique Champollion", je décrirai donc à présent la ligne officielle à partir de 1824).

Avant cela, quelques petites précisions cependant, dans un sens conciliateur des deux "écoles" (cf.Dominique Farout, Pallas 2013.93 p19-52) :

"*Le système hiéroglyphique est constitué d'idéogrammes et de phonogrammes .Un mot peut être rendu par un idéogramme isolé ou un assemblage d'idéogrammes complémentaires afin de préciser un sens (...)*

En égyptien un mot est construit le plus souvent en additionnant des idéogrammes et des phonogrammes (...)

A l'ancien et au moyen empire, hiératique et hiéroglyphes expriment la même langue (...) La parole divine est à la fois phonétique et idéographique (...)

Les hiéroglyphes expriment le signifié par le son et par l'image. Cette image non seulement confirme idéographiquement le sens rendu par le son mais ajoute des informations qui ne peuvent être exprimées phonétiquement (...)

Au sein d'un texte hiéroglyphique la position respective

des signes peut apporter une précision d'ordre idéographique (...)

Il nous est très difficile d'exprimer une théorisation concernant la limite du champ de l'écriture et la limite de celui de l'image (...)

Les hiéroglyphes expriment les parole de Dieu ce qui leur confère le pouvoir créateur, mais ils sont désignés par images.

Paroles et images, phonogrammes et idéogrammes, telle est l'ambiguité essentielle du système égyptien qui le rend si fécond."

Il est donc clair que les difficultés pour établir d'authentiques traductions des medou neter sont de deux ordres : Trouver le bon rapport, le **bon dosage** entre idéogrammes et phonogrammes, ce qui suppose de **rentrer dans la peau d'un scribe égyptien hiérogrammate**, et donc en fin de compte, de sortir à ce moment de la peau du scientifique sur le fond, pour atteindre le coeur de la parole sacrée, ce qui n'est pas évident encore aujourd'hui

Car, comme le dit Pascal Vernus[31], l'écriture hiéroglyphique est une écriture figurative dont les signes ont pour référent des *realia*, c'est à dire des réalités particulières à leur culture : "*Les hiéroglyphes sont donc originellement des images qui ont pour référents des éléments de l'univers égyptien*".

31 In "Actes sémiotiques" 2016, n°119

Il faut donc connaître ces "*realia*" pour pouvoir traduire précisément (cf la symbolique de *nfr* supra).

Concernant l'aspect phonogramme, certains sons sont familiers de nos prononciations et de nos alphabets, d'autres sont spécifiques, et on fait alors appel à une transcription de consonnes (les égyptiens n'écrivaient pas les voyelles, du moins la plupart car il existe des "pseudos voyelles : a, i..).

On obtient dès lors un alphabet de sons à une consonne (unilitères) d'une vingtaine de signes, dont certains sont équivalents à ceux de nos alphabets tandis que les autres signes (ceux qui ne correspondent pas) sont retranscrits sonorement par convention.

Les sons voyelles servent de liaison phonétique ou pour mettre un accent ; nous ne savons donc pas exactement quelle était la prononciation exacte des mots, mais le recours à la langue Copte, la plus proche culturellement, permettrait un résultat approchant, mais rien n'est sûr à ce propos.

Existent aussi, en dehors de cet alphabet de "base", des signes valant à la fois deux consonnes au lieu d'une (appelés signes bilitères) et des signes en valant trois (trilitères), ils sont très nombreux (environ 5000), mais on retrouve surtout 700 à 750 signes courants parmi ceux-ci ; enfin il faut mentionner l'existence de quadrilitères, mais à notre connaissance ils ne sont qu'une poignée.

La classification Gardiner, pour les plus usuels puis son

extension et leur encodage en vue d'une saisie informatique globale, ne les répertorie toujours pas tous à ce jour, loin s'en faut !

Voici donc reproduits ci-dessous l'alphabet Champollion et quelques bilitères et trilitères :

	a
	b
	b
 ou	c ou ch
	d
	e
	f
	g

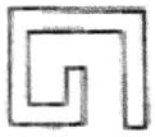	h
 ou ou 	H (aspiré)
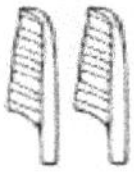	i
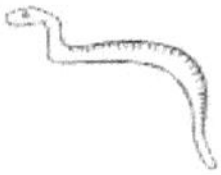	j (dj)
	k
	l
	m
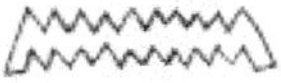	n
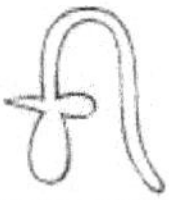	o
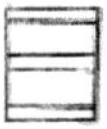	p

	q
	r
	s
ou	t ou tj
	u
	v
	W (ou)
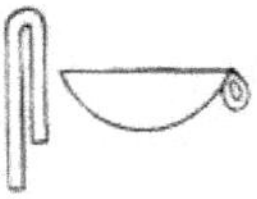	x
 ou	y
	z

Alphabet égyptien de base : sons à une "consonne" (dits unilitères)

	h r
	p r
	m s
	m r
	w s
	dj d
	m n
	s k

	b a
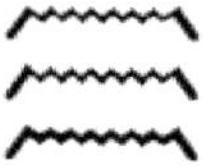	m ou
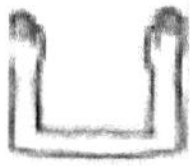	k a

<u>Quelques exemples de sons à deux "consonnes" (dits bilitères)</u>

	n k h
	k p r

	n f r
	n t r
 ou 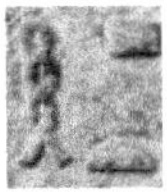	h t p

<u>Quelques exemples de sons à trois "consonnes" (dits trilitères)</u>

Il est par ailleurs fréquent que deux mots se prononcent de la même manière mais ont un sens différent.

Pour les distinguer on fait suivre les mots par un **déterminatif**, qui a pour fonction d'en préciser le sens, mais lui **ne se prononce pas.**

Certains déterminatifs n'ont une utilité qu'avec un seul mot, d'autres sont plus généraux.

Voici quelques exemples de déterminatifs généraux :

	homme
	femme
	manger, parler
	lumière, temps
	ciel, haut
	voir
	Dieu, Neter

Pour ce qui est de la grammaire de base, le masculin est mentionné par le déterminatif homme, et le féminin par le déterminatif femme, et les mots féminins se voient rajouter la lettre "T"

Le pluriel pour le masculin sera marqué par et le pluriel féminin par

Mais lorsque cela ne concerne que deux personnes ou

objets, on double alors le signe

concerné ; par exemple : deux frères 𓀀 𓀀 ou deux soeurs 𓁐 𓁐

La notion de nombreux est exprimée quant à elle par un triple signe, par exemple :Neter 𓊹 Nétérou 𓊹 𓊹 𓊹 ou ⁝ alors on met trois traits verticaux sur le coté pour éviter la répétition

Attention, il existe une exception dans le fait de multiplier un signe afin de le mettre en valeur.

Le passé pour les verbes s'exprime par 𓈖 tandis que pour le présent c'est généralement 𓇋

Quant au futur, il est exprimé généralement par un souhait du genre "puisse-t-il" (on attend un résultat dans le futur).

Les adjectifs sont positionnés après le nom qualifié, et lorsqu'il s'agit du féminin on ajoute le signe 𓏏

Généralement une phrase simple se construit en commençant par le verbe, puis le nom sujet, et enfin l'adjectif.

Le négatif quant à lui s'exprime par :

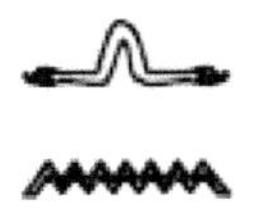

2.Qu'est-ce qu'un Neter (n-t-r) ?

Un Neter (pluriel Neterou) est un agent, une fonction de

la Nature, de la manifestation.
Il est une conséquence directe de la création, **une fonction divine**, un attribut, une qualité, comme dans l'arbre de vie kabbalistique que la sagesse égyptienne a d'ailleurs inspiré (système révélé par les écrits des néo platoniciens héléniques[32] et surtout par l'immersion du peuple juif nomade sédentarisé en Egypte antique durant plus de 400 ans, par l'entremise de Joseph puis de Moïse).

Ainsi, **tout ce qui existe dans la Nature est une incarnation, une expression, une signature des Neter**, c'est pourquoi ils ont (à tort) vite été assimilés à des "Dieux" et la religion égyptienne au polythéisme.[33]

Car **les Nétérou sont les multiples facettes d'un Neter Unique**, inconnaissable (Amon le caché) et ceci est une donnée fondamentale à ne jamais perdre de vue, sous peine de rendre incohérent tout le système.

Et, "ce qui est en haut étant comme ce qui est en bas", dans le microcosme **notre Neter est** également **caché** mais **au fond de nous**, c'est à dire **dans notre propre centre** ; **tout le programme ésotérique de l'Egypte ancienne se résume donc à le découvrir au coeur de notre_Etre,** puis à le laisser s'exprimer et en faire notre guide et gardien dès cette Vie, afin de pouvoir atteindre l'immortalité de l'âme.

3.Qu'est-ce que la métaphysique ?

La méta-physique est "*la science de l'Être en tant qu'Être, la recherche et l'étude des premiers principes et des causes premières*" (Dictionnaire Larousse).

32 Cf partie II
33 Voir plus loin la partie monothéisme et polythéisme

"*Méta*" renvoie à la notion d'au-delà, en l'occurence au delà de ce qui est "*physique*", palpable, visible, matériel.

La métaphysique est donc la **science qui recherche l'Etre au delà du monde visible apparent.**[34]

Elle est la **recherche de la réalité de la Vie, donc de LA Vérité**[35], dans ce qu'elle a d'universel car son domaine est rien de moins que l'expression, l'extériorisation de la Volonté Divine, le verbe Divin et donc **invariable**, *ne variatur.*

Son appréhension est **intuitive et intellectuelle**[36], ses outils sont la **symbôlique**, la numérologie[37] , l'astrologie et le **confondement** du "sujet" avec l'"objet", et la **méditation** (les 3 voies de Maât) : le Sage accompli est celui qui a arpenté ces trois voies.

Réelle, vraie, elle justifie l'existence d'une "tradition primordiale", que l'on retrouve dans toutes les civilisations, en raison de son Universalité, quelque soit la méthode authentique employée.

Ces apports transversaux sont utiles à sa compréhension globale et permettent des **correspondances** ou analogies, qui enrichissent la Connaissance de cette véritable "Science

---

34 D'où l'intérêt des symboles pour ne pas dénaturer, ne pas analyser, en quelque sorte **on courtcircuite le cerveau**

35 **Ici nous ne sommes plus dans la vérité relative du "mental", de l' "égo", du "sujet", mais dans la vérité OBJECTIVE (la Maât, les Lois cosmiques, divines).**

36 Au vrai sens du mot, et non dans celui de cultivé ou lettré

37 Au sens de Tétraktys

Sacrée".

Cette longue introduction en début de première partie était nécessaire, afin de nous donner les premiers outils qui vont nous permettre de progresser ensemble plus avant dans la découverte de la Sagesse de l'Egypte antique.

Abordons à présent, si vous le voulez-bien et sans plus tarder, le chapitre premier consacré aux Divinités égyptiennes.

CHAPITRE PREMIER : UN DIEU OU DES DIEUX ? (L'UNIQUE CACHE)

La question du monothéisme et du polythéisme en Egypte antique est un sujet très important, qui a fait et fait couler beaucoup d'encre.

En effet, existe-il un Dieu ou des Dieux en Egypte?

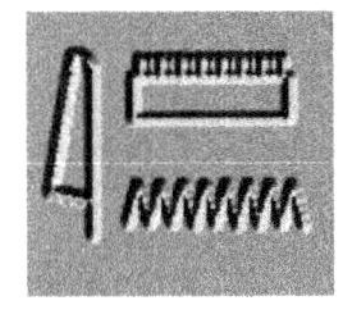

Amon

Les égyptologues traduisent souvent par convention Neter (*N-t-r*) 𓊹 par "Dieu" ; or les Neterou 𓊹𓊹𓊹 (pluriel de Neter) sont essentiellement des fonctions Divines dans la manifestation, des énergies cosmiques, la **Source** étant elle **unique** et **cachée** (*Amn*[38]) et dès lors "Connaissable" indirectement, à travers ses signatures dans la manifestation (Neterou), dont elle a donné l'impulsion primordiale, selon un plan préalable ordonné.

Neter ne devrait dès lors être traduit par Dieu que lorsqu' il est fait mention du Dieu suprème caché Source unique (Amon).

38 Amon, Amen

Par ailleurs, le mot Neter est aussi utilisé pour désigner la parcelle Divine qui est dans l'humain ("ce qui est en haut est comme ce qui est en bas"), au centre, en son coeur, son Neter personnel qu'il convient de "réveiller".

D'où la grande confusion des concepts et traductions, à laquelle s'ajoute les traductions mises sur un même pied d'égalité entre les Medou-Neter (seuls véritables hiéroglyphes), les hiéroglyphes linéaires, le hiératique, le démotique qui sont des simplifications croissantes abrégées des Medou-Neter, amenant à une perte progressive du sens initial.

Afin de valider ces affirmations, lourdes de conséquences, sur l'existence d'un Dieu unique Source de tout l'univers en Egypte antique, citons diverses **sources écrites** :

Le Livre des Morts ou plutôt "**Le Livre pour sortir au jour**"mentionne en son **chapitre** 17 : "***Je suis LE grand Neter qui est venu à l'existence de lui-même***,*les pouvoirs mystérieux de mes noms créent les Célestes hiérachies*".

(Notons un autre type de traduction par **A. SLOSMAN**[39] mais qui va toujours en ce sens : "*Je suis le Très-Haut, le Premier, le Créateur du Ciel et de la Terre, je suis le modeleur des enveloppes charnelles et le pourvoyeur des parcelles Divines."*

Il existe de nombreuses formules en ce sens dans le livre des morts, ainsi que dans de nombreux autres textes.

Nous relevons également par exemple dans le **papyrus**

39 In "Le livre au-delà de la vie" op; cit. p 14

Leyde : "***Unique est Amon, qui se cache***".

Mais **ce Dieu Unique va immédiatement se manifester par une TRIADE :**

"***Trois*** *sont tous les Neterou,* ***Amon, Râ, Ptah****, qui n'ont pas de semblable. Qui cache son nom en tant qu'Amon, il est Râ par le visage, son corps c'est Ptah*".

On retrouve ainsi réunis les trois grands cultes de l'Egypte antique : à Héliopolis (*Iounou*, la ville du soleil) le culte de Râ.

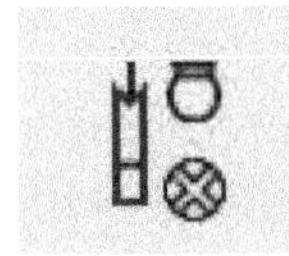

A Memphis (*Men-Nefer*) "durable et belle", le culte de Ptah.

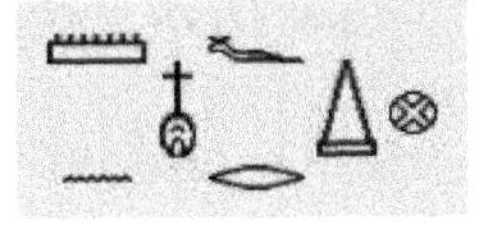

A Thèbes *(Ouaset),* le culte d'Amon ; avec le sceptre Ouas et le féminin "t" (le cercle dans la croix ne se prononce pas, il s'agit du déterminatif du lieu, d'une ville).

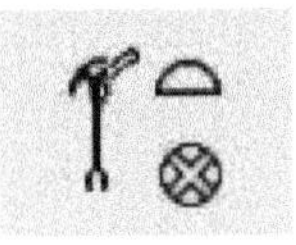

Enel dans son livre "Les origines de la Génèse et l'enseignement des temples de l'ancienne Egypte" Maisonneuve (1935) l'a très bien compris et explicité : "*Tous ces noms divers (...)ne sont en réalité que des adaptations locales de la même idée du Dieu unique, créateur de l'univers, dont* ***Râ est le Verbe, Ptah la première forme manifestée, et Amon l'essence mystérieuse qui ordonna la création****". (...) "Quoique étant en apparence panthéistique, la religion égyptienne enseigne que* ***la création fut conçue en principe "dans le coeur" et accomplie "par le Verbe" par un Dieu unique dont les nombreuses divinités du panthéon représentent différentes manifestations****."*

Nous avons là la première triade, la triade archétypique, origine de l'émanation des qualités divines, dans une sorte d'arbre de vie précurseur, ou plutôt nous dirions un sycomore sacré[40].

D'où la remarque de **Jamblique** (in Mystères 8ème partie §2) "***Avant les choses qui existent réellement et les principes universels, il y a un Dieu unique.***"

L'Etre non-être, c'est à dire en dehors de la création, l'Esprit pur, est souvent représenté comme baignant dans un océan primordial, nommé Noun (équivalent du *ein sof aur* des hébreux, avec l'idée de potentialité, de vibrations, vagues,etc).

Dans le **papyrus Prisse** à présent, (cf. En ce sens Philippe Virey "Etudes sur le papyrus Prisse le livre de kaqimna et les leçons de ptah-hotep" VIEWEG Paris 1887),

40 Cf infra seconde partie

papyrus daté de l'Ancien Empire (IIIème - Vème dynasties), les égyptiens s'adressent à Dieu en tant qu'être unique.

Dans leur oeuvre magistrale, **Etienne Drioton et Jacques Vandier** ("L' Egypte, des origines à la conquête d'Alexandre" PUF 1938 p63-64) font mention d'un monothéisme existant depuis les "*hautes époques*" (c'est à dire dès l'ancien empire), "*au moins dans les milieux cultivés*".

Par ailleurs, il est intéressant de relever dans la **Bible**, dans l'ancien Testament des hébreux une référence (et donc une acceptation évidente pour eux) au monothéisme égyptien ; **2 chroniques 35, §20-21** : (Un Pharaon parle) "*Et **Dieu a** dit de me hâter. Ne t'oppose pas **à Dieu qui est** avec moi, de peur qu'**Il** ne te détruise*" (nous constatons que la **troisième personne du singulier** est sans équivoque possible employée et acceptée, car inscrite par les hébreux eux-même dans leur livre sacré, les juifs qui sont par ailleurs de fervents monothéistes et donc "connaisseurs" du "concept").

Il n'est donc dès lors pas étonnant, dans ces conditions, que l'idée d'un monothéisme en toile de fond chez les égyptiens était partagée par les premiers **égyptologues**, à commencer par **Emmanuel De Rougé** (in bibliothèque égyptologique 1862 n°21 p 235) *La **doctrine de l'Unité** persista toujours dans les titres divins*", et le même auteur de "surenchérir" (in conférence sur la religion des anciens égyptiens p13) : "***Une idée domine, celle d'un Dieu un et primordial***".

Gaston Maspéro égalemment (in "histoire ancienne des peuples de l'orient" p28-29) : "***Tous les types divins** se pénètraient réciproquement et **s'absorbaient dans le Dieu***

suprème**, leur division, même poussée à l'infini, ne rompait en aucune manière l'**unité de la substance divine".

Jacques-Joseph Champollion (dit Champollion-Figeac, le propre frère de Jean-François) in "Egypte ancienne " (1863) p 245 donne, à mon avis, la meilleure explication : "***La religion égyptienne était un monothéisme pur, se manifestant extérieurement par un polythéisme symbolique***".

Karl Lepsius (in "la religion et la mythologie des anciens égyptiens" 1885) : "*J'exprime la conviction que, dès les premiers temps, **les égyptiens adoraient un Dieu unique.***"

Sans oublier R.A. Schwaller **de Lubicz** (in du symbole et de la symbolique p5) "*Les deux luminaires, le soleil et la lune, sont les deux yeux du Neter suprème Atum-Râ à Héliopolis ou Amon-Râ à Thèbes*", ou encore son épouse Isha Schwaller de Lubicz (in "Her Bak Disciple") "***Amon règne sur l'invisible mais Râ est le Neter du monde visible***", "***l'UN est inconnaissable mais, en tant que créateur du monde nous le nommons Amon-Râ-Ptah***", "**T*out est Amon-Râ-Ptah, trois en Un,*** (...) *son Verbe est fixé en toi, il ne tient qu'à toi d'en faire une fixité*[41] *éternelle.*"

Ceci n'est pas contradictoire avec les diverses énnéades et cosmogonies populaires, puisque **Atoum n'est qu'une phase du soleil** (Khéper, Ré, Atum) et que l'association constante avec Amon indique bien la Source unique (association du non manifesté et du manifesté) avec des rôles importants pour Râ et Ptah.

41 djed

Bien que la liste n'ait pas la prétention d'être exaustive, citons égalemment **Jan Assmann** (in revue des sciences religieuses 89 n°2 (2015) p137-163) : ***"L'univers, y compris la pluralité des dieux, provient d' UN Dieu, d'UNE origine, donnant naissance à tout et dont tout dépend".*** (malgré la confusion linguistique Neterou/Dieu, expliquée plus haut) "***Le monde provient de l'Un et à la fin des temps il retournera dans cette unité***" (p147).

Nous pouvons citer également M. **Gallada**, égyptologue égyptien contemporain, qui est également catégorique :

"En ancien égyptien, le mot Neter et sa forme au féminin Neter-t ont été rendus de manière erronée et peut être délibérée par Dieu et Déesse, par presque tous les académiciens. ***Neteru*** *(le pluriel de neter/netert)* ***désigne les principes divins et les fonctions de l'Unique*** *et suprème Dieu".*[42]

Il est par ailleurs indéniable, pour toutes celles et ceux qui se sont donné la peine de lire les papyrus de bonne foi , notamment ceux des **textes des pyramides**, des **textes des sarcophages**, du **livre de sortie au jour**, ainsi que les enseignements des sages[43], que les principes chrétiens notamment, les messages, enseignements, paraboles et même les fêtes, sont directement issus de la sagesse et civilisation égyptiennes.

C'est également l'avis de Sir E.A.**Wallis Budge**,

42 In "Ancienne Egypte : Les racines du christianisme" TEHUTI (2018)

43 Nous reviendrons plus loin sur tout cela.

conservateur du Musée du British Muséum de Londres, après avoir traduit de nombreux manuscrits, dont le papyrus d'Ani.

Pour ce qui est des emprunt du judaïsme à la sagesse et à la civilisation égyptienne, je vous renvoie infra au chapitre trois de la seconde partie.

Relevons aussi ce qui est écrit dans le Sanatorium du **temple d'Hator à Dendérah** :

« Viens à moi, Toi dont le nom est caché aux Neterou, qui a fait le ciel, créé la terre, mis au monde tous les êtres. »

Il s'agit d'un hymne fervant au monothéisme.

Dans les *coffin texts* (**textes des sarcophages**) il existe par exemple le **Spell 261** (à propos de la transformation en Heka) :

*"Je suis celui que l**e maître unique** a créé, avant que deux choses n'eussent existé en ce monde, lorsqu'il était seul".*

L'aspect numérologique

Afin de mieux appréhender ce concept de Dieu unique je vous propose à présent une petite immersion dans la science des nombres.

Il s'agit ici de la numérologie initiatique, d'une étude qualitative et non pas quantitative, qui fait apparaître des idées-forces, intermédiaires entre le visible et l'invisible.

Les dix premiers nombres ont une portée métaphysique de premier plan, c'est pourquoi il convient de les étudier, car cela fait partie des éléments de la Tradition primordiale.

Le nombre zéro est l'énergie-Esprit, éternel, incréé, acausal, **le tout en sa potentialité virtuelle,** Esprit pur hors du temps et de l'espace.

C'est Dieu, non-manifesté, une puissance organisatrice sans limite, qui s'exprimera "bientôt" par des Lois, notamment à travers les nombres, les dix premiers, appelés nombres de l'Esprit.

Le nombre un est le "nombre de l'Esprit" qui intervient en acte, qui **passe de la potentialité à l'action**, **l'impulsion créative initiale** par laquelle toutes les conséquences, comme un programme, sont déjà en devenir comme une graine, un oeuf, dans un enchainement de causes à effets induits ; il est la source de tous les nombres et géométriquement représenté par le point.

•

Le nombre deux exprime les **forces dualistes fondamentales**, dualité, **polarité,** symétrie, miroir ; n'existe que ce qui peut se différencier de ce qui n'est pas lui (séparation, soustraction).

Sa représentation est une droite, car elle peut se former dès que l'on a deux points.

Le nombre trois amène l'espace, la dynamique dans la création comme résultante du mouvement engendré, la synthèse, le divin manifesté, et se représente par un triangle équilatéral, symbole de toutes les trinités ou Triades et dès lors de nature céleste puisqu'il permet aussi le retour à l'unité (Papus dirait que c'est en unissant le fils au Père que l'Esprit saint se réalise).

Le nombre quatre est le ternaire derrière lequel l'unité se manifeste dans l'univers 3 + 1, c'est la tétrade ou tétragramme, révèlateur de la pensée divine ; c'est aussi les quatres éléments, la croix, le carré, la stabilité, la terre, les quatres points cardinaux.

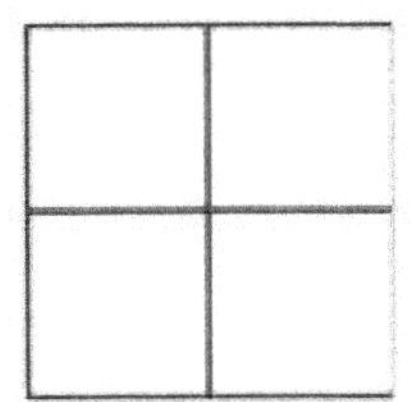

Le nombre cinq est la somme du binaire et du ternaire, 2 + 3 = 5, équilibrée par le nombre d'or à travers le pentagone, le pentagramme, le pentacle qui expriment la perfection idéalisée, le rayonnement, et la primauté de l'"Esprit", de l'éther, ou quintessence, cinquième élément, akasha, prana, Chi (Qi)... source de toute puissance réalisatrice, d'où le pentacle autour du cou chez certains Mages et initiés.

Le nombre six est parfois appelé le nombre parfait car 3 + 3 = 6, 1 + 2 + 3 = 6 et 3 + 3 = 6 et est symbolisé par l'hexagramme, l'hexagone et représente la Nature et sa beauté mais aussi le macrocosme, les directions spatiales, le verbe manifesté, le sixième sens, les Lois cosmiques.

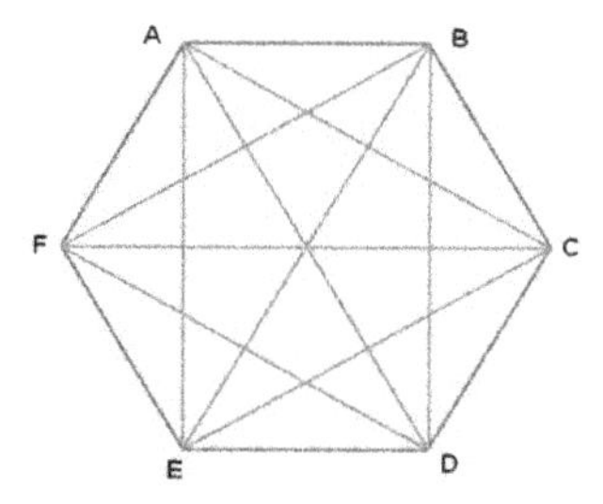

Le nombre sept relie le céleste au terrestre 3 + 4 et a pour symbole le triangle sur le carré c'est à dire la pyramide, il est la base du triple septenaire ou nombre 777, la victoire de l'Esprit sur la matière et correspond aussi au nombre des principaux chakras ainsi qu'aux "errantes" visibles à l'oeil nu dans l'astrologie ; c'est un symbole de réalisation effective et non plus seulement en puissance.

777 représente aussi l'idéal vers lequel doit tendre l'adepte sur le chemin de la Lumière Divine : Réaliser la perfection en Soi, sur les trois plans de la manifestation dans l'humain (physique, mental et spirituel, *corpus, anima, Spiritus*).

Il s'agit donc d'un programme volontaire, d'une profession de Foi, d'un engagement profond en tant que chercheur de Lumière Divine.

C'est que le nombre sept en lui-même symbolise la voie

de l'élévation vers la Conscience, du moins la pureté dans l'intention, l'appel du Neter.

Après il faut suivre et rester effectivement sur ce chemin de la Lumière Divine au quotidien, en pensées, en paroles et en actes, ce qui n'est pas une voie facile, tout le monde en conviendra, mais oh combien libératrice, (la seule voie réellement libératrice pour les initiés égyptiens, le reste n'est que leurre, exaltation de l'Ego, perversions et enchaînement aux addictions de bas astral de plus en plus handicapantes et dégradantes menant à la souffrance et à la haine).

Tandis que la voie du 777 est dispensatrice d'équilibre, de joie, d'abondance, d'Amour et de paix intérieure, car elle connecte au Soi, seule source de vrai liberté et d'identité.

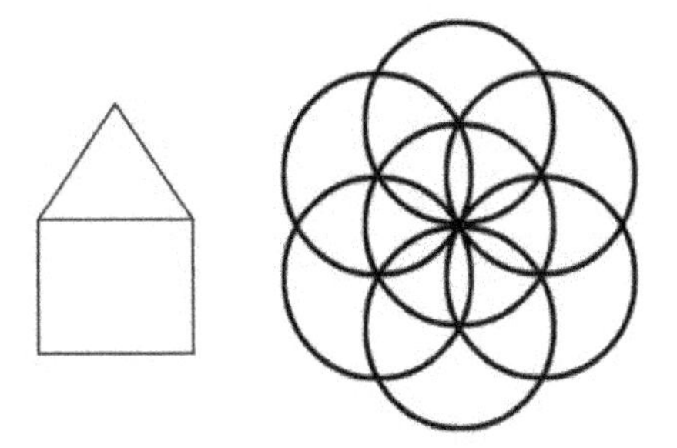

7 = 4+3, c'est à dire le carré (la matière) + le triangle (le spirituel) et sa somme symbolise la pyramide des égyptiens, forme idéale de captation, d'amplification et de relai de l'énergie Divine. D'où la puissance symbolique de ce signe cumulant 7+7+7 (et donc 21= 2+1 mettant en relief tout l'enjeu du programme : Sortir du monde démiurgique et bipolaire (2) en refaisant l'Unité en Soi (1).[44]

Le nombre huit

Il représente l'expansion de l'univers 4 X 2 et l'infini, l'éternité, l'amour, mais aussi la volonté et la loi. Son carré est 64.

On le représente donc par deux carrés ou un octogone.

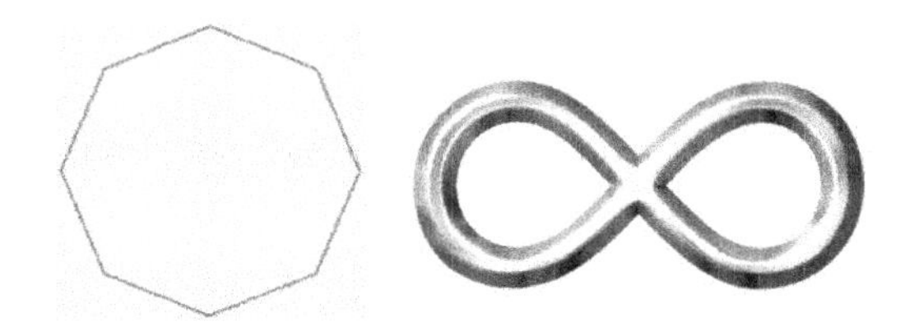

Le nombre neuf

44 On est donc loin de Crowley, son liber 777 et son univers "Qlipotique".

C'est le symbole de l'accomplissement total, la puissance de la vertu, les trois ternaires 3 X 3, le mystère de l'initiation.

Il est parfois assimilé aussi à trois triangles équilatéraux enlacés.

Le nombre dix

Il contient tous les nombres puisque 1 + 2 + 3 + 4 = 10 (le *tétraktys* Pythagoricien) et résume toute l'oeuvre Divine, tout comme l'arbre ; renvoyant à l'unité 10 = 1 + 0, il se représente parfois par un "cercle pointé."

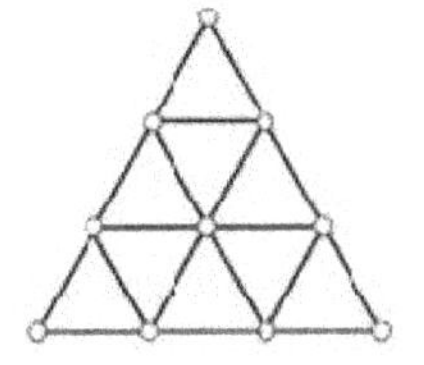

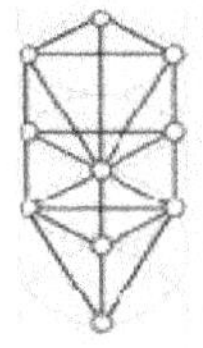

Il est aussi la valeur numérique de la lettre hébraïque IOD :

Il en est ainsi car tous les nombres à chiffres multiples peuvent par la suite être ramenés aux premiers, par exemple 1966 : C'est 1 + 9 + 6 + 6 = 22, or 22 est aussi, si on le réduit 2 + 2 = 4.

Ces dix nombres peuvent être représentés schématiquement ainsi dans "l'espace" :

3	1	2
5	6	4
8	9	7
	10	

Ce qui ne manque pas d'analogies avec la Kabbale, mais nous y reviendrons plus loin.

Puisque nous avons mentionné le *tetraktys* et les nombres je vous invite à présent à nous pencher brièvement sur Pythagore.

Pythagore

Pythagore est un grec originaire de l'île de Samos qui vécut probablement de -580 à -497.

L'origine de son nom est encore débattue : Pour les uns il signifie "Pith-agore" (annoncé par la Pythie), pour d'autres il s'agit de son nom d'initié égyptien "PTAH-GO-RA ".

En tous cas, il part **en Egypte** pour plusieurs années[45], vraisemblablement en -547, à Memphis puis Thèbes, y apprend la langue égyptienne, étudie la géométrie et l'astronomie et **se fait initier** (vraisemblablement à la résurrection d'Osiris, c'est à dire aux "petits mystères").

A son retour il fonde une école à Crotone, où il oeuvre surtout pour les mathématiques et les nombres, mais aussi au sein d'une confrérie initiatique parallèle qu'il fonde, puis se déplace à Métaponte au moment de la guerre civile où il finit ses jours.

Il fait des discours à la foule et recrute à l'égyptienne, c'est à dire les meilleurs après les avoir longuement éprouvés.

L'initié, comme le grain de blé, doit mourir pour renaître, symbole osirien ; et le symbole du papillon dans sa chrysalide remplace celui du scarabée chez Pythagore.

45 Durant 22 ans nous dit Jamblique, mais cela semble exagéré, ou le nombre a une raison purement symbolique.

Il demande à ses disciples de faire leur analyse morale chaque jour, une pesée du coeur quotidienne en quelque sorte, afin de réaliser la Maât.

Le soleil et la lune sont présents dans les symboles qu'il utilise, il prèche l'immortalité de l'âme et croit en la réincarnation, utilise notamment le symbole de la balance et les image de Thot et d'Hermès et procède comme les égyptiens à un rite solaire à chaque lever du jour.

Pour lui les choses sont des nombres et il donne aux nombres une représentation géométrique ; tout est nombre et le nombre complet est 10, le tetraktys, nombre qui forme le tout :
1 + 2 + 3 + 4 = 10, nous l'avons vu.

Dans la nature existent des proportions arithmétiques, géométriques et harmonieuses.

Il vulgarise le théorème dit de Pythagore ainsi que le nombre d'or, qui viennent des égyptiens.

Pour lui il y a transmigration de l'âme, car elle est par nature immortelle et mouvante.

Croyant en la réincarnation, il prône aussi le végétarisme, qui pour lui en est une conséquence logique et nécessaire.

On connait le contenu de sa sagesse à travers les **vers dorés de Pythagore**, en fait vraisemblablement écrits par l'un de ses proches disciples, mais ce qui n'enlève rien au fond.

En voici quelques extraits :

"Honore aussi et ton père et ta mère et tes proches parents,

Entre les autres hommes, fais ton ami de celui qui excelle en vertu.

Cède toujours aux paroles de douceur et aux activités salutaires.

N'en viens jamais, pour une faute légère, à haïr ton ami,

Quand tu le peux : car le possible habite près du nécessaire.

Sache que ces choses sont ainsi, et accoutume-toi à dominer celles-ci :

La gourmandise d'abord, le sommeil, la luxure et l'emportement.

Ne commets jamais aucune action dont tu puisses avoir honte, ni avec un autre,

Ni en ton particulier. Et, plus que tout, respecte-toi toi-même.

Pratique ensuite la justice en actes et en paroles.

Ne t'accoutume point à te comporter dans la moindre des choses sans réfléchir.

Mais souviens-toi que tous les hommes sont destinés à mourir ;

Et parviens à savoir tant acquérir que perdre les biens de la fortune.

A l'égard de tous les maux qu'ont à subir les hommes de par le fait des arrêts augustes du Destin,

Accepte-le comme le sort que tu as mérité ; supporte-les avec douceur et ne t'en fâche point."

CHAPITRE SECOND : LES LOIS COSMIQUES

De tout temps, en tous lieux, des Maîtres ou Sages ont tenté de nous transmettre des message de Sagesse, obtenus à force de se réincarner et progresser sur le chemin, par des méditations, expériences de vie, attitudes, leur ouvrant une acquisition progressive de la Conscience (qui seule donne la Connaissance du réel, du vrai).

Les deux plus grand sages connus de l'Egypte antique sont incontestablement **Imhotep et Amenhotep (fils de Hapou)**[46], qui ont d'ailleurs fait l'objet d'un véritable culte tout au long de l'Egypte pharaonique.

Imhotep est surtout connu du grand public en tant qu'architecte de la pyramide à degrés de Saqqara.

Il est bien plus que cela puisqu'il est "*le grand des voyants*", c'est à dire un Grand-Prêtre d'Héliopolis (Iounou) sous le pharaon Djoser de la IIIième dynastie de l'ancien empire , tout comme plus tard Kagemni (VIème dynastie, dont nous reparlerons) et le célèbre Manéthon, égalemment Grand-

46 Et non pas le pharaon, quoique de même nom.

Prêtre d'Héliopolis, mais lui au IIIème siècle avant J-C sous Ptolémée.

Tandis que le titre de Grand-Prêtre au temple de Karnak est appelé "*celui qui ouvre les deux portes du ciel*" ou encore "*premier prophète d'Amon*".

Amenhotep (XVIIIème dynastie) était Grand-Prêtre de Karnak, et a érigé les célèbres colosses de Memnon ainsi qu'une partie du Temple.

Imhotep et Amenhotep étaient en fait à la fois Grand-Prêtre, premier ministre, architecte, médecin, magicien , et dès lors "éminence grise" du Roi (c'est à dire"le Sage").[47]

Imhotep, ce qui va nous intéresser à présent, aurait entre autres inauguré la "**littérature sapientiale**" en Egypte pharaonique, c'est à dire celle traitant d'un enseignement "de père à fils".

Cependant ses écrits n'ont pas été retrouvés hélas à ce jour ; concernant les écrits d'Amenhotep ceux à notre dispostion sont très succincts : l'essentiel de leur message nous est néanmoins connus par des commentaires ultérieurs, des brèves citations et surtout à travers la symbolique de leurs oeuvres et contructions.

Imhotep a également réalisé des prouesses architecturales en pierre taillées et écrit des papyrus de médecine.

47 Le Sage en coulisse montrait le chemin, le pharaon exécutait, il était dès lors le vrai souverain (ce qui explique par exemple le statut et les faveurs spéciales octroyées de son vivant à Amenhotep par le pharaon).

Le fait que ces documents en matière de sagesse n'aient pas été retrouvés n'est finalement pas étonnant, car **la Sagesse devait s'enseigner surtout oralement**, dans les salles fermées des temples, **à des disciples en petit nombre,** scribes présélectionnés drastiquement.

Nous disposons par contre plusieurs autres sources d'écrits "sapientaux", parmi lesquelles **les enseignements de Kagemni** (ou Kaqemna) et **les enseignements de Ptahotep** (tous les deux sur le papyrus Prisse de la XI-XIIème dynastie et également pour le dernier dans un papyrus du British Muséum, les "*trustees*", commenté par Wallis Budge).

Mais au final, même si les textes sont instructifs, la partie Kagemni du papyrus Prisse semble ne contenir que le début et la fin du texte des enseignements qui se résument cependant, pour la partie présente du texte, par **suivre le chemin de la modestie et de la modération, fuir les vices, éloigner les défauts** (donc appliquer la Maât).

En ce qui concerne les enseignements de Ptahotep dans le papyrus Prisse, sont mises en avant des **vertus** précises : **Capacité d'écoute, attention constante, humilité, maitrise de soi, patience,** avec toujours en arrière plan la voie de Maât :

"Il est utile d'écouter ; tout ce qui est entendu pénètre celui qui écoute ; et si l'écoute est bonne la parole est bonne. Ecouter est mieux que tout. C'est à cause de cela que l'amour devient parfait."

Cependant, les enseignements de Ptahotep, ceux

contenus dans le papyrus anglais, sont assez divergeants du papyrus Prisse.

Toujours divergeants aux deux premiers sont les extraits[48] de l'enseignement de Ptahotep découverts sur une tablette dite de "Carnarvon" (ce même Lord anglais financier des fouilles d'Howard Carter qui découvrit la tombe de Thoutankhamon) : L'explication la plus probable semble être que ces enseignements étaient oraux et donc partiellement retranscrits, de mémoire, par des scribes en formation, sous forme de notes, et peut être pour les seules parties autorisées.

Il ressort néanmoins clairement de ces manuscrits sapientaux qu'à coté de l'étude des Medou-Neter, des mesures et des proportions, des symboles, parmi les clés fondamentales à disposition pour découvrir la Sagesse égyptienne, il est important de les étudier car ils visent à appliquer les lois de Maât, cultiver les vertus, combattre les défauts, fuir les gens et situations toxiques...etc.

Examinons dans ce sens le **Papyrus n°10474** (du British Muséum "Sagesse d' **Aménémopé"** fils de Kanakhat -1300 av. JC) qui nous est parvenu lui **complet** en 30 chapitres, et qui incite encore les scribes à appliquer la Maât, en voici quelques extraits :

"*N'engage pas la discussion avec celui dont les propos sont enflammés,*

Ni ne l'agresse verbalement,

48 En fait ce document mentionne le début du texte

Temporise face à un adversaire, fais le gros dos devant un opposant.

Demeure sans réaction devant une parole.

Une tempète quand elle se lève comme le feu dans la paille, tel est le bouillant à son heure.

Bats en retraite devant lui, laisse le à lui-même.

Dieu saura lui répondre.

Si tu passes ton temps avec ceci à l'esprit, tes enfants le prendront en considération.

Ne t'endors pas en t'inquiétant pour demain.

L'homme ignore comment sera demain.

C'est une chose les paroles que prononcent les hommes,

C'en est une autre les actions de la Divinité.

Aie l'esprit solide, affermis ton coeur,

Ne gouverne pas avec ta langue.

Ne dissocie pas ton coeur de ta langue, ainsi toutes tes entreprises réussiront.

Ne permet point que le pauvre et le veillard soient rudoyés par le geste et la parole.

Ne souhaite jamais être en la compagnie d'un homme pervers.

Que ceux qui désirent être propriétaires ne se rendent pas prospères en creusant des sillons sur les terres d'autrui.

Tu dois t'efforcer d'être sincère avec ton prochain, même si cela doit lui causer du chagrin.

Ne convoite pas les biens d'autrui et n'affame pas ton voisin, car il est choquant de prendre à la gorge celui qui pratique le bien.

Reste humble et discret, car meilleure est la discrétion pour qui recherche la perfection.

Que ton intelligence comprenne mes paroles et que ton coeur les mette en pratique,

Car celui qui les néglige ne connait plus la paix intérieure.

Ne crie pas contre celui qui t'agresse, ne lui répond pas toi-même,

Car celui qui fait le mal le rivage le rejette, l'inondation l'emporte.

La barque du stupide s'immobilise dans la boue, celle du silencieux vogue avec le vent.

Garde-toi de voler un malheureux, d'être violent avec un infirme,

N'étend pas la main pour agresser un vieillard, et ne sois pas impoli avec un ancien.

Ne dissocie pas le coeur de ta langue, ainsi toutes tes entreprises réussiront.

Le coeur de l'homme est un don de Dieu, garde-toi de le négliger.

Celui qui aime son prochain trouve toujours des parents autour de lui.

Dieu permet d'acquérir la richesse pour faire le bien.

Si tu mènes ton existence avec ces paroles dans ton coeur tu réussiras.

Dieu aime celui qu réconforte les humbles plus que celui qui honore les grands.

Heureux celui qui parvient à l'Occident alors qu'il est en sécurité dans la main de Dieu. *"*

Puisque l'âme, pour pouvoir s'élever et se libérer, doit respecter et appliquer la Maât, la faire entrer dans son coeur, connaitre ses principes dans le détail apparait donc comme une nécessité.

Or, les lois de la Maât se trouvent elles-même énoncées (positivement et aussi *a contrario*) dans le **Livre des morts** (LM extraits du célèbre Chap. CXXV [49]).

En voici une traduction du passage d'une version "négative" (ne pas faire), appelée parfois "*confession négative*" :

"*Il n'y a eu par mon fait ni craintif, ni pauvre, ni souffrant, ni malheureux.*

Je n'ai point fait ce que détestent les Neterou.

Je n'ai point fait maltraiter l'esclave par son maître.

Je n'ai point fait avoir faim.

Je n'ai point fait pleurer.

Je n'ai point tué.

Je n'ai point fait tuer.

Je n'ai point ordonné de tuer traitreusement.

Je n'ai fait de mensonge à aucun homme.

Je n'ai point pillé les provisions des temples.

Je n'ai point diminué les substances consacrées aux Neterou.

49 Traduction de Paul Pierret in Le livre des morts des anciens égyptiens Editions E.LEROUX Paris (1882) p 370-371

Je n'ai enlevé ni les pains ni les bandelettes des momies.

Je n'ai point forniqué, je n'ai point commis d'acte honteux avec un prêtre de mon district religieux.

Je n'ai ni surfait, ni diminué les approvisionnements.

Je n'ai point exercé de pressions sur le poids de la balance.

Je n'ai point fraudé sur le poids lui-même de la balance.

Je n'ai pas éloigné le lait de la bouche du nourisson.

Je n'ai pas fait main basse sur les bestiaux dans leur pâturage, je n'ai pas pris au filet les oiseaux des Neterou.

Je n'ai pas pêché de poissons à l'état de cadavres.

Je n'ai point repoussé l'eau à son époque de crue.

Je n'ai pas détourné le cours d'un canal.

Je n'ai pas éteint la flamme (enthousiasme d'autrui) *à son heure.*

Je n'ai pas fraudé les Neterou de leurs offrandes de choix.

Je n'ai pas repoussé les bestiaux de leur propriété divine.

Je n'ai pas fait obstacle à un Neter dans son exode (procession)."

Ces objectifs très nobles sont difficiles à atteindre en totalité pour le commun des mortels ("*étroite est la porte*" disent les Evangiles[50]).

D'autre part, certains ne concernent que l'Egypte, pour des raisons tant géographiques (crue du Nil...) que culturelles (bandelettes...), tandis que d'autres sont catégoriquement rédibhitoires, tandis qu'un dernier groupe de péchés semble "moins grave", voire peut être "rattrapable" suivant le contexte, du moins "plaidable" auprès d' Isis et de Nephtys devant le "tribunal des 42" lors du jugement de la pesée.[51]

On voit cependant dans ces écrits le parallélisme évident entre le texte du LM Chap 125 et les notes retrouvées de l'enseignement de Kagemni, d'Amenhotep et d'Aménémopé, puis de Pythagore, de même que l'influence sur les futures religions judéo-chrétiennes (Joseph, Moise, David, Salomon, Esaie, Jésus).

En définitive, respecter les règles de la Maât, c'est d'abord **mener une vie équilibrée et en harmonie avec soi même mais aussi avec l'extérieur et la nature, dans le**

50 Matthieu VII;14

51 Dans le sens où au moins un droit à réincarnation sera accordé et non pas la destruction de l'âme par *babaï* (le crocodile) ou *ammout*, châtiment réservé aux entorses les plus graves.

respect de chaque personne, de chaque unité de vie, ce qui permet non seulement une vie heureuse ici-bas, mais aussi dans l'au-delà (la mission terrestre étant assimilée et accomplie, la réincarnation n'est dès lors plus utile car **l'harmonie sur terre et dans le coeur reflète l'harmonie cosmique et permet de rétablir l'Unité perdue**).

En ce sens, je vous invite à méditer d'autres extraits des "Vers dorés de Pythagore":

" Dieu, aux plus cruels, n'a pas livré les sages.

Comme la vérité, l'erreur a ses amants.

Le philosophe ***approuve ou blâme avec prudence****;*

Et, si l'erreur triomphe, il s'éloigne; il attend.

Écoute et grave bien en ton cœur mes paroles:

Ferme l'œil et l'oreille à la prévention ;

Crains l'exemple d'autrui ; ***pense d'après toi-même,***

Consulte, délibère et choisis ***librement****.*

Laisse les fous agir et sans but et sans cause,

Tu dois dans le présent consulter l'avenir.

Ce que tu ne sais pas, ne prétends point le faire.

Instruis-toi** : **tout s'accorde à la constance au temps,

***Veille sur ta santé**: dispense avec mesure,*

Au corps les aliments, à l'esprit le repos,

***Trop ou trop peu de soins sont à fuir**; car l'envie*

A l'un et l'autre excès s'attache également.

Le luxe et l'avarice ont des suites semblables,

***Il faut choisir en tout un milieu juste et bon**."*

Pour les égyptiens, au moment de la mort physique la pesée nous attend tous avec le verdict de la plume de l'autre coté de la balance : **Ecoute ton coeur, respecte et applique la Maât**, afin qu'avec l'aide de Thot et d' Anubis, il soit purifié de ses éléments lourds (les péchés, les défauts, l'égo) et devienne plus léger que la plume, tel est le message.

Ce concept de **Maât** représente donc la **justice** divine, l'**ordre** universel, le fondement sur lequel repose toute la civilisation égyptienne, celui de **vérité**, d'équilibre et d'harmonie. Elle est le contraire de l'**Isfet** qui représente le chaos, le désordre, l'injustice, Apop et ses acolytes séthiens.

La Maât, dont le pharaon est le garant sur terre, nécessite également une mise en œuvre politique, sociale, économique et juridique, et le recours à la **magie Héka** si necessaire pour la rétablir.

Cette méthode égyptienne de cacher[52] les secrets de la vie fut probablement peu à peu abandonnée à la fin du nouvel empire.

Ceci pour diverses raisons : les temples avaient été pillés en partie, puis l'hélènisation progressive de l'Egypte changeait peu à peu les mentalités des élites ; la romanisation puis l'islamisation lui furent fatales.

La décadence par mise en concurrence des cultes (avec les Grecs, puis les Romains) et la chute annoncée de l'Egypte (astrologie : passage de l'ère du bélier à celle des poissons), **les mises sous tutelles successives, nécessitaient pour l'élite de laisser d'urgence par écrit des traces plus visibles de cette sagesse afin de la sauver** pour les générations futures, la méthode ancienne étant désormais trop difficile d'accès et l'équilibre de Maât menacé.

Ce sont du moins les raisons qui, pour ma part, expliquent en grande partie la survenance de ce qu'on a appelé le "**corpus hermeticum**", qui apparait progressivement en Egypte ptolémaïque, vraisemblablement **à partir du IIIème siècle av JC** dans la région d'Alexandrie.

Alexandrie en effet est un port, centre effervescent de

52 Dans l'absolu il n'y a pas de secret, les symboles, les mesures, la géométrie, les neterou sont gravés sur les monuments, les temples et les pyramides qui sont toujours debouts ; mais l'initiation permettait d'accéler, d'approfondir les choses au fond de son coeur, expérience personnelle et donc non communicable.

l'hélènisation et aussi par ailleurs un centre hébraïque, surnommée "*le comptoir du monde*".

Les *Hermetica* doivent dès lors être considérés comme authentiques, dans le sens d'une filiation directe égyptienne, dernier sursaut d'une civilisation en péril mortel.[53]

Ces écrits sont reliés à **Hermès-Trismégiste** (trois fois grand), lequel fut souvent identifié à **Thot**[54]**,** "scribe divin", gardien de la parole sacrée, peut être afin de désigner la source Divine, sacrée de cette Connaissance.

Thot est parfois assimilé à Athôtis ("Atêta", Hor-Aha ou encore Téti) fils du premier pharaon de la première dynastie Narmer-Méni.[55]

Parmi ces apports ou révélations, énonçons ce que l'on appelle les sept **Lois Cosmiques** (en fait huit, qui proviendraient selon la Tradition des paroles de Thot lui-même) : le mentalisme, les correspondances, la vibration, la polarité, le rythme, la cause à effet, le genre, à laquelle il faut rajouter l'individualisation :

Le Tout est Esprit universel vivant, et l'univers est mental (***principe du mentalisme***)

Il existe un rapport entre les phénomènes des différents

53 Voir infra pour d'autres filiations (néo-platoniciens, kabbale,...)

54 Qui est un autre sage très important de l'Egypte antique, et pour certains le premier de tous.

55 Cité par A.Slosman et dans la liste de Manéthon, sa tombe a en effet été retrouvée à Abydos, adjacente à celle de Méni-Narmer.

plans ***(principe de correspondance)***

Tout est mouvement, vibre, à son niveau ***(principe de vibration)***

Dans toute manifestation il y a deux pôles, deux aspects opposés, mais complémentaires, deux polarités ***(principe de polarité)***

Il en résulte un flux et un reflux, un balancement, action et réaction ***(principe du rythme)*** mais la volonté du Maître peut neutraliser et équilibrer cela.

Le hasard n'existe pas, il existe une cause pour tout et un effet pour tout, en fait un enchaînement d'événements de cause à effet ***(principe de cause et d'effet, Karma)*** et les Maîtres, en s'élevant sur un plan supérieur, peuvent éviter l'effet non désiré.

Les principes masculin et féminin sont à l'oeuvre sur tous les plans et sont indispensables à toute manifestation, création (***principe du genre).***

Il existe une **Réalité** Substantielle, une **Energie infinie et éternelle**, **la Vie et l'Intelligence**, Dieu, LE TOUT (en lui-même indéfinissable hors sa manifestation et dont l'Essence n'est pas matérielle mais PUR ESPRIT).

Nous pouvons transmuter nos propres états mentaux car le Tout a créé l'univers mentalement (Tout est Esprit).

Le Tout est au dessus de n'importe quelle Loi, car il est la Loi, et notamment il n'est pas soumis à la Loi du genre (puisqu'il est Un).

L'initié véritable, connaissant la nature de l'univers, se sert donc de la Loi, du supérieur contre l'inférieur, il transmute les choses viles en choses précieuses, et il en a le droit puisque cela est bon et que tel est le chemin.

Par ailleurs, l'univers ***(Divin paradoxe)*** à la fois est et n'est pas ! (car il est une création mentale du Tout).

Attention, il n'est pas **dans l'absolu**, car dans les plans inférieurs et pour les humains mortels **(dans le relatif)** l'univers est bien vrai (nous ne sommes pas le Tout).

Utiliser les Lois pour obtenir le meilleur effet possible pour notre progression dans la vie n'est donc pas punissable mais au contraire naturel et même plus que souhaitable afin d'avancer.

Nous contrôlons donc le matière en utilisant les forces supérieures , maîtrisons les Lois inférieures en appliquant les Lois supérieures.

La Maîtrise dès lors ne se manifeste pas principalement par des rêves ou des visions, mais consiste à faire de la **vraie Magie**, c'est à dire à appliquer les forces supérieures aux forces inférieures, afin d'échapper aux souffrances des plans inférieurs en vibrant sur les plans supérieurs, et ceci est bon ; cette **transmutation** est l'épée du Maître, elle mène au développement Spirituel, la seule vraie religion universelle.

A la fin des temps ***(Loi d'individualisation)*** les unités de Vie, les êtres" éveillés" retourneront à la Source en toute Conscience et puissamment développées[56].

Par ailleurs, entre l'Alpha et l'Oméga[57], le Tout est au dessus de toute cause ou effet, sauf quand il veut devenir une

56 Ceci est donc la huitième Loi

57 L'espace-temps donné à la Création

cause, et c'est alors exactement cela un acte de manifestation, de création.

Les correspondances s'appliquent tant au plan physique que mental et_spirituel.

La matière n'est qu'une vibration basse d'énergie, tout est énergie.

Plus la vibration est élevée plus élevé est le plan.

Par contre, il est clair que ceux qui ont acquis un pouvoir puissant et l'on employé sciemment pour le mal en détournant les Lois subissent un terrible destin : l'oscillation du pendule (principe du rythme) les amènera inévitablement en arrière, ils seront rétrogradés, parfois très lourdement dans les étapes de réincarnation, une sorte d'enfer en effet.

A l'extrême, l'âme coupée totalement de l'Esprit, est désagrégée et ses énergies disséminées dans l'univers, la sanction pour ces cas très graves est alors LA VRAIE

MORT[58]**...**(cf le crocodile de la pesée).

La Lumière, l'électricité, le magnétisme, sont des formes de mouvement vibratoire issus de l'**Akasha** ou **Ether** ou Qi ou Force, quintessence, "Esprit", cet élément **remplit tout l'univers et sert de milieu de transmission aux ondes d'Energie**.

L'électricité et le magnétisme se manifestent donc quand le taux vibratoire d'un individu s'est sensiblement élevé, et il est alors possible de polariser son esprit afin de lui donner le degré de vibration désiré, de transmuter les énergies.

Toutes les choses manifestées ont donc deux côtés, deux pôles (principe de polarité) la différence n'étant pas de nature mais de degré.

La polarisation permet donc la transmutation, d'autant plus que la Loi donne l'ascendant, le rôle dominant au pôle positif, et ceci est bon car cela permet d'**être Maître de ses états mentaux au lieu d'en être les servants.**[59]

58 Les égyptiens parlaient de seconde mort.
59 Symbolisme profond de la mise à mort d'Apop

Il faut donc s'élever au dessus des effets du pendule (par volonté et vibration) pour que l'effet soit neutralisé.

Le genre se manifeste dans tout phénomène et permet un acte de création, de production, **les deux principes masculin et féminins ne peuvent rien créer isolement, et cela sur n'importe quel plan.**

Le principe masculin de l'esprit est actif, volontaire, et conscient, tandis que le principe féminin est plutôt subjectif, passif, inconscient.

Beaucoup d'individus s'arrêtent à l'application du principe sur le plan physique et matériel.

Or, ce n'est que par l'élévation de la Conscience de l'individu que le principe masculin s'active peu à peu pleinement sur d'autres niveaux supérieurs, en-deçà l'être est "incomplet".

Il faut donc utiliser les deux genres sur tous les plans

pour être un initié-Mage accompli, et notamment pleinement le principe mâle de Volonté (souvent négligé) ; c'est ni plus ni moins que cela la vraie Maîtrise, la vraie Magie : la découverte puis l'application des Lois universelles.

In fine cela revient à se polariser sur son "**moi supérieur**" (le **Ka Divin**) et l'on peut alors seulement réellement affirmer : **Je SUIS pleinement,** "*ouhem ankh*" (renouvelé de vie) . 𓅱𓋹

Tout ceci car le Tout est Esprit, l'univers est mental et la Loi est la LOI (immuable, "*étoiles fixes*").

Nous verrons également plus loin que les **Lois cosmiques sont aussi en étroit rapport avec la science "du nombre et de la mesure"**, celle des observations astronomiques dites astrologiques, car ces Lois viennent de **Maât** et les **combinaisons mathématiques divines** (CMD) **indiquent le sens de ces Lois, dont l'origine est dans le Ciel.**[60]

---

60 Au sens astronomique autant qu'ésotérique.

CHAPITRE TROIS : LE PARCOURS DE L'AME

En préambule de ce chapitre important consacré au parcours de l'âme humaine, je souhaiterais m'exprimer sur l'importante question de la **réincarnation**, car elle est au coeur du parcours et décide de son sens.[61]

L'idée selon laquelle les égyptiens ne croieroient pas, ni même ne mentionneraient la réincarnation est encore tenace aujourd'hui.

Il va sans dire que les tenants de la réincarnation dans l'Egypte ancienne, dont je suis personnellement convaincu, ne sont pas majoritaires dans le milieu égyptologique contemporain, lorsque vous les interrogez sur le sujet.[62]

Pourtant, nous allons le voir, aussi bien la symbolique égyptienne, que les écrits du Livre des Morts, ainsi que plus tard les néo-platoniciens et même une partie du milieu égyptologique, jouent une toute autre musique à celui qui sait écouter et s'ouvre au message des hiérophantes et à l'âme de l'Egypte antique : Mais jugez-en par vous-même.

61 Il s'agit d'une autre clé majeure, comme le monothéisme

62 Peut être en raison de tout ce qui a été exposé en amont

Je vous propose donc tout d'abord de nous pencher sur deux symboles, dont le premier est trés connu.

KHEPER SYMBOLE DES TRANSFORMATIONS

Le scarabée, Khéper (ou Khépra voire Khépri) est le **symbole des transformation**s, et se trouve présent au moment de la pesée, près de l'âme ; le coeur est toujours en lien avec Khéper.

On le retrouve aussi sur la poitrine des momies, souvent de couleur or et ou argent, *électrum,* mais pas que.

C'est aussi le symbole astrologique originel du signe du Cancer, sous lequel le nouveau sens de la course du soleil aurait débuté , selon certains, après le grand cataclysme qu'ils situent il y a de cela 12500 ans[63].

Mais il existe aussi un autre symbole, souvent moins connu du grand public, sur lequel nous allons porter à présent notre intérêt.

HEQET LA GRENOUILLE SYMBOLE DE LA CAPACITE DE L AME A RENAITRE

63 Voir plus loin, la partie concernant l'astrologie

Heqet est connue pour présider aux naissances, en tant que symbole de protection des nouveaux-nés, mais elle est aussi un **symbole de résurrection** puisqu'elle a pour mission d'accompagner l'âme dans son cycle évolutif, d'insuffler la vie et apparait également dans le parcours initiatique.[64]

LA PREUVE PAR LE LIVRE DES MORTS

Ceci étant dit, rien de tel comme arguments probatoires que de trouver des écrits de l'époque sur lesquels s'appuyer :

Or, dans le Livre des morts, nous pouvons lire plusieurs passages frappants, par exemple :

"*Mon coeur qui me vient de ma mère, mon coeur qui m'est nécessaire pour mes transformations*" (LM - Chap.XXX).

"*Je suis l'aujourd'hui, je suis l'hier, je suis le demain, à travers mes **nombreuses naissances**.* "
(LM - Chap.LXIV).

"*Tu es le maître des **transformations nombreuses et des enveloppes** que tu caches dans l'oeil solaire **pour leurs naissances***"(LM – Chap. CLXII).

"***Je pénètre à mon gré, soit dans la région des morts, soit dans celle des vivants, sur la terre, partout où me conduit mon désir*** *" (LM – Chap. II).*

64 Voir section sur les écoles initiatiques.

"J'entre et je sors, suivant la puissance de mon Verbe,
je contemple mes formes successives*, créées par la puissance de mon âme ;*
et du nombre des corps glorieux, ***je parcours à volonté les cycles des métamorphoses****."*
(LM – Chap. LXXVIII)

"En vérité j'ai le même âge qu'Osiris,
Multiples furent mes métamorphoses,
J'ai parcouru toute la série des être variés*."*
(LM – Chap. CLXXV).

"Tu permets aux êtres humains,
De ***renaître une autre fois*** *à la vie,*
De ***redevenir jeunes*** *et de* ***s'incarner à l'instant favorable****".*
(LM – Chap. CLXXXII).

LE TEMOIGNAGE ET LA CONVICTION D' UN GRAND EGYPTOLOGUE FRANCAIS ET DES NEO-PLATONICIENS

Afin de renforcer notre thèse, laissons s'exprimer **Gaston MASPERO**, un grand égyptologue français du XIXème siècle (1846-1916) qui fut à la tête du service des antiquités égyptiennes et du Musée d'archéologie égyptienne au Caire, découvrit notamment à Saqqarah le Texte des Pyramides , enseigna au Collège de France et à l'Ecole des Hautes Etudes :

"*On peut affirmer que les Egyptiens ont cru à l'immortalité de l'âme. Ils y croyaient si bien qu'ils la faisaient mourir plusieurs fois*".

"***La vie terrestre n'est qu'un devenir dans l'ensemble des devenirs qui avaient précédé et qui devaient suivre***" (Gaston MASPERO in "Etudes de mythologie et d'archéologie égyptiennes Ernest Leroux Editeur Tome 1 Paris 1893 Vol.1 p22 et 23).

Parmi d'autres auteurs il faut citer **les néo-platonicens**, car Platon (-428 -348) est à la fois un contemporain de l'Egypte antique mais aussi un témoin de poids puisqu'il a voyagé vraisemblablement dans cette contrée et y a cotoyé les prêtres des temples.

J'ai choisi ici le témoignage de **Plotin** (205/270), car il est considéré comme le chef de file de cette école Néo-Platonicienne :

"***L'âme est tantôt dans le corps, tantôt dehors***"

"*Toutes les âmes sont sorties du même principe"* (l'âme universelle) (PLOTIN Les Ennéades Tome 2 par M.N. Bouillet Paris HACHETTE 1859 E.IV livre 7 §13 et 14)

"***Les âmes descendent ici-bas pour la perfection de l'univers*** *(...), l'âme descend ici-bas par une inclinaison volontaire, dans le but de développer sa puissance et d'orner ce qui est en dessous d'elle".*

"*En effet,* ***les facultés de l'âme seraient inutiles si elles sommeillaient toujours dans l'essence incoporelle sans passer à l'acte***." (PLOTIN Les Ennéades Tome 2 par M.N. Bouillet Paris HACHETTE 1859 E.IV livre 8 §5).

Ceci étant dit, si vous partagez à présent mon intuition et ma conviction en matière de réincarnation, le parcours de l'âme, le circuit des transformations vu par les égyptiens revêt alors une signification très claire.

LE LIVRE DES RESPIRATIONS

Si toutefois vous n'en êtes pas encore convaincus, je vous invite à examiner **le "*Livre des respirations*"** (*Shaï-en-sinsin*) que l'on plaçait près de la momie, à coté du "*Livre de sortie au jour*" (à la Lumière), auquel on rajoutera tardivement à la basse époque le "*Livre pour parcourir l'éternité*".

En voici deux extraits : "*Cache ce Livre. Cache-le ! Ne le communique à quiconque. Son éclat est seulement destiné au mort dans l'Amenti,* ***afin qu'il revive des vies très nombreuses***".

"***Dans tous les lieux qui te plairont, ton âme de nouveau respirera***".

D'ailleurs les égyptiens antiques nommaient **la réincarnation : OUHEM MESOUT**[65].

65 Littéralement : "renouvellement des naissances", "répétition de naissances" (Whm Mswt)

Ouhem mesout

JUSTIFICATION PAR LA LOGIQUE ET L' EQUITE

Rare en effet sera l'âme qui parviendra "du premier coup" à se libérer et triompher de l'épreuve de la pesée.

Ce cycle se trouve alors justifié pour permettre d'éviter un "couperet one-shot" [66] : L'âme perfectible peut ainsi apprendre de ses erreurs et a droit à "essayer" de nouveau, pour s'améliorer, et devra même revenir jusqu'à ce que les Lois divines soient enfin comprises, assimilées en elle et appliquées dans le quotidien.

C'est un concept plus juste que de donner plusieurs chances et de permettre un adaptation au "rythme" de chacun.

DES LIVRES A LA FOIS DESTINES AUX MORTS ET AUX VIVANTS (INITIATIONS)

Les **textes des pyramides**, les **textes des sarcophages** et **le Livre des morts** donnent la marche à suivre pour la libération de l'âme.

L'étude profonde de ces textes donne en ce sens quelques clés essentielles.

66 Comme c'est le cas dans le corpus de beaucoup de religions.

Alors que nous étions en quête d'une liste de textes écrits de Sagesse, d'un guide initiatique, nous avons là, pour ainsi dire sous le nez, des textes authentiques fondamentaux qui **peuvent s'utiliser aussi bien pour les morts que pour les vivants.**

Le fait qu'ils soient écrits ne contredit pas le principe de transmission orale des secrets initiatiques.

En effet, ces textes; rédigés sous forme symbolique parfois codée, étaient mis principalement dans les tombes des Pharaons, de la famille royale, des hauts-dignitaires et prêtres de haut rang, sous forme d'extraits commandés ; et les prêtres n'accomplissaient les **rituels secrets** nécessaires que devant la momie.

Le livre pour sortir au jour, dit livre des morts, apparait à la **fin de l'ancien empire** et est influencé par d'autres sources parfois bien antérieures (**textes des pyramides** puis **textes des sarcophages**).

Dans sa version complète reconstituée, le Livre des Morts (LM) contient 192 Chapitres ou "formules"[67].

Le LM doit permettre au défunt d'**accéder à une vie future sur un autre plan** ("sortie au jour").

Dans ce but, le défunt s'assimile aussi au soleil, afin d'acquérir ses pouvoirs magiques pour se protéger des dangers du monde des morts et sortir victorieux de ses ennemis.

---

67 Chiffre obtenu en associant divers manuscrits comme un puzzle afin d'obtenir la version la plus complète

Cela passe notamment par la connaissance de **noms de génies et gardiens** pour être autorisé à passer l'épreuve suivante , ce qui s'apparente complètement à la définition d'une pratique magique.

Des objets, bijoux, **amulettes** servaient d'ailleurs de protection magique en plus des rituels, notamment l'oeil oudjat, le pilier Djed, le noeud d'Isis (Tit), qui étaient placés sur la partie haute de la momie (tête et poitrine, "lieu" des vibrations les plus hautes connectant au Divin et "lieu" du coeur).

Les rituels les plus importants étaient donc accomplis sur **la tête** du défunt.

Très souvent **le défunt est assimilé à Osiris**, sauf lorsque, durant son parcours, il emprunte momentanément l'identité d'un autre Neter afin de s'octroyer sa puissance magique et triompher de l'épreuve.

Parmi les symboles présents autour de la tête du défunt, mentionnons le signe de l'horizon **akhet** flanqué de ses deux lions, véritable verrou entre le monde de l'Orient (Ciel) et l'Occident (Douat).

Le rôle de la tête, et tout particulièrement du **visage**, lieu des sens, est donc central pour réaliser ce lever solaire. (Horus = her, tête = her)

L'éveil de la Conscience résulte de l'action constante de contrôler impitoyablement **son "Moi"**(Seth) ; **c'est donner la primauté au coeur, à l'intuition et à ses sens intérieurs**

sur ses sens communs et l'analyse cérébrale (d'oû l'importance de la tête) **afin d'obtenir l'attraction progressive de son Ka supérieur** : Telle est la mission si l'on souhaite accomplir la Loi Divine en Soi.

Mais nous verrons plus loin que pour cela **il existe deux voies**, deux chemins.

Comment résister ici à citer Isha Schwaller de Lubicz : "Il faut marcher sur les voies d'Orient pour suivre Râ et non Osiris. Car **celui qui s'attache à sa maison terre mourra encore**, tandis que celui qui s'en détache et cherche Horus-Râ est délié par lui : Râ ne le remet pas à Osiris afin qu'il ne meure plus."

Nous traiterons des notions de petits mystères et grands mystères, de la voie osirienne et de la voie horienne, des deux chemins, des aspects alchimique et énergétique dans un chapitre de la seconde partie spécialement consacré à l'initiation.

Mais avant je vous propose d'explorer ensemble le domaine spécifique de la magie, si présente au quotidien des égyptiens de l'antiquité.

SECONDE PARTIE : PRATIQUES MAGIQUES, DIVINATION ET INITIATION

"Dieu a fait pour les hommes la magie comme une arme pour se prémunir des coups du sort. Héka est donc la magie défensive. N'est-ce d'ailleurs pas ce que font les Neterou dans la lutte contre le serpent Apop ?"

La magie est connue et pratiquée en Egypte ancienne aussi loin que l'on remonte dans le temps pour cette civilisation, c'est à dire dès les débuts de l'ancien Empire jusqu'à la période hellénistique ptolémaïque puis romaine, début de l'ère chrétienne copte incluse.

D'ailleurs il faudrait plutôt parler des magies que de la magie, tant les branches et voies pratiquées sont multiples (et se retrouvent encore aujourd'hui dans la pratique magique contemporaine).

Elle n'est pas séparée de la religion, du culte, **ni de la médecine**, nous allons le voir, mais au contraire s'interpénètre dans toutes ces disciplines car elle fait partie naturellement de la vie quotidienne pour toutes les couches de la population.

Dans un cercle bien plus restreint, dans les parties des Temples fermées au public, s'enseignent et se transmettent (à un petit nombre rigoureusement sélectionné) des rites, des enseignements et une **initiation,** permettant une compréhension globale et précise de la Sagesse égyptienne, et cela dès les débuts de l'Egypte pharaonique jusqu'à sa chute sous l'invasion Perse[68], avec un dernier sursaut durant la période hellénistique s'achevant par une tentative de reconstruction-transmission par l'école alexandrine.[69]

C'est pourquoi ce message universel, quoique souvent mal ou partiellement compris, raisonne néanmoins encore pleinement aujourd'hui à qui sait l'entendre, car il a été

68 -525 av JC

69 Cf *infra* dans la partie relative aux écoles initiatiques et aussi *supra.*

véhiculé par les néo-platoniciens et l'hermétisme, ainsi que par le judaïsme et n'est donc pas perdu, d'autant plus qu'aujourd'hui nous pouvons consulter de nouveau et abondamment la source égyptienne **directement** après 1500 ans de silence.

CHAPITRE PREMIER : LES DIVERSES MAGIES EGYPTIENNES

Protection, envoûtement, guérison, rituel religieux, opérations des textes des pyramides, des textes des sarcophages et du Livre des morts, divination, horoscope... : Les occasions sont grandes pour les égyptiens antiques de pratiquer ou d'avoir recours à la magie.

C'est **Thot** le Neter qui commande à la parole et l'écriture, et donc qui permet à la magie d'opérer en tant qu'intermédiaire, "**messager du Verbe créateur**", Thot parfois identifié au fils de Ménès-Narmer, premier Roi de la première dynastie sous l'ancien empire, qui communiqua aux hommes les Medou-Neter.

Heka se traduit par « Magie » ou « Pouvoir magique » ; mais Héka signifiant littéralement "*celui qui stimule le Ka*", sa fonction est donc aussi utile **pour l'accomplissement de la Maât** et protéger ainsi que renforcer l'énergie vitale.[70]

La magie est le pouvoir qui lie l'image au résultat (cf spells 261 et 648 des textes des sarcophages).

Heka, en tant que puissance magique, est **un don du créateur** ; elle est souvent représentée avec deux serpents dans les mains croisées sur sa poitrine. Elle est offerte aux humains pour se protéger, pour se défendre contre Apophis et ses acolytes (représentant isfet, le désordre et les maux).

Mais elle est surtout représentée pour le triple noeud et les bras levés pour symboliser le fait que la magie est un **déplacement d'énergie**, **qu'il faut d'abord** attirer, **accumuler**, fixer **puis renvoyer**.

70 Cf aussi d'autres développements sur Heka dans la partie consacrée aux hiéroglyphes *supra*

Quelles que soient ces nombreuses formes de magie, les égyptiens en faisaient un usage au quotidien, sans séparation nette des autres activités, car la magie est un don divin faisant partie de la Vie et du processus même de création, et l'utiliser c'est le reproduire.

Magie et religion étaient donc étroitement associées et Heka était aussi un moyen de rétablir la **Maât**.[71]

Les noms sont importants : Nom du Neter personnel, nom du "Dieu".

On fait aussi appel aux **énergies de la nature** (plantes, minéraux, lithothérapie, magnétisme, yoga).

On utilise aussi l'énergie divine lorsque l'on pratique la **haute magie** dans les temples, qui servent à maintenir la connection entre le ciel et la terre, à faire que Dieu est véritablement présent parmi eux.

Les **paroles** se font à haute voix, la **gestuelle**, ainsi que la danse et la musique y ont une place importante, car la musique relève de l'harmonie divine et est sous la protection d'Hathor.

71 La "magie noire" est donc pour eux une magie non conforme à la Maât, une magie qui sert l'isfet.

On se sert généralement d'**outils neufs** (cire, papyrus, amulettes) qui sont **purifiés** et **consacrés** avant usage, selon l'emploi auxquels ils sont destinés et les moyens de l'opérateur.

Je classe la **Divination** parmi la magie[72] car il y a bien l'idée de celui qui reçoit un résultat après interrogation du monde invisible ; même constat pour l'**astrologie** (thèmes astraux, horoscopes).

Certains Temples avaient également une fonction oraculaire : par exemple le Temple d'Amon, ou le Temple de Bès.

Les **oracles**, la Divination égyptienne, étaient contrôlés par les prêtres et avaient principalement pour but de servir le Pharaon, sa famille et les fonctionnaires de haut rang ; cependant les consultations pour les prêtres, leurs familles et autres consultations privées se sont développées progressivement en parallèle.[73]

Les procédés employés en divination sont la communication directe, ou par un rite, ou en état de sommeil, par l'intermédiaire de statues, de médiums, d'animaux, les méthodes sont très variées.

L'oracle est une demande tandis que la **prophétie** est un don, qui suit un circuit inverse.

Les consultations les plus populaires avaient lieu au moment des fêtes officielles dans la liesse générale.

---

72 Bien que Stephen Skinner soit d'avis contraire.

73 Revue internationale de religion, divination et magie, 26 2013 p161

Les réponses étaient écrites soit sur des ostraca (tessons de céramiques), soit sur des papyrus, en écritur démotique.

Se protéger, se défendre nécessite pour les égyptiens parfois de frapper très fort.

Ainsi par exemple un rituel pour anéantir son ennemi, l'intention étant une protection :

"*Tu dessineras tout adversaire de Râ et tout adversaire de Pharaon, ainsi que les noms de leur père, de leur mère et de leurs enfants. Le nom de chacun d'eux étant écrit avec de l'encre fraîche sur une feuille de papyrus n'ayant jamais servi, ainsi que sur la poitrine de figurines d'envoûtement, celles-ci ayant été faites à la cire, et ligotées avec des liens de fil noir. On crachera sur elles, on les piétinera du pied gauche, on les frappera avec un couteau et la lance, et on les jettera dans le fourneau du forgeron.*"

L'ennemi peut être physiquement réel, mais cela peut être aussi une maladie, ou un ennemi invisible, "surnaturel".

Pour combattre ces ennemis invisibles au moyen de Heka, on va utiliser la **visualisation** de cet ennemi, représenter mentalement la cible du rituel et lui donner corps (renforcé par la figurine *oushebti*) afin de la rabaisser et de la piéger ; **le nom** est utilisé aussi pour maîtriser et dominer.

On fait aussi parfois appel aux défunts, souvent de proches ancêtres, pour défendre son patrimoine, sa maison, avoir une descendance, pour recouvrer la santé ou pour se protéger d'autres défunts mal intentionnés.

La magie est aussi utilisée dans des rituels religieux pour combattre le plus grand ennemi de Râ, dont le but est le retour au chaos et de briser la Maât : Apophis (ou apop).

Dans les récits cosmogoniques types énnéades, dès la création , Râ doit se battre contre un gigantesque serpent.

Dans le **livre des portes** Apophis fait tout pour arrêter la barque Divine, essaye de boire les flots, de faire échouer l'embarcation sur un ban de sable, mais est vaincu finalement par Aset (Isis) la "magicienne" "*puissante en incantations*", parfois avec Het-Her (Hathor) ou d'autres Neterou, mais toujours bien entendu avec l'aide d'Heka.

Ainsi la plupart des Neterou utilisent la magie au quotidien, cela n'est pas réservé à Thot.

Apop est aussi combattu dans le livre des morts avec la formule "tordre le cou au serpent Apophis".

Dans chaque Temple était tenu un grand livre, contenant outre l'architecture du Temple et le Neter à vénérer, les devoirs des prêtres, leur service, la comptabilité et la logistique, mais aussi une partie réservée à la pratique de la magie.

Il s'agit essentiellement de rites d'**envoûtement** : On détruit rituellement l'image de l'ennemi Apop en prononçant des formules magiques.

Les matériaux utilisés sont le **papyrus**, l'**argile**, **cire**, le bois d'acacia ou d'amandier.

Des rites d'**apaisement** du Neter, de **purification** et de **protection** des individus, des maison et de la ville où siège le Temple sont également pratiqués.

Le Roi, le Pharaon, en tant que garant de la Maât, doit protéger le pays des ennemis extérieurs mais aussi garantir l'Ordre interne.

Dans sa vie privée le Roi a également des magiciens à son service pour protéger au quotidien sa personne, sa chambre, son lit contre toute attaque magique et complot.

La magie est également utilisée par le Roi à des **fins** plus **politiques** ; chaque année est mené un rituel afin de garder une autorité sur ses sujets, "contraindre les pât" (notables) "et soumettre les rekhyt" (le peuple)[74].

Des rituels sont menés pour neutraliser les ennemis de l'Egypte (Nubiens, Syriens,...) notamment sur les forteresses à la frontière ; on utilise alors des **vases en terre** crue, plus rarement en albâtre, avec des écrits (notamment le **nom** du souverain ennemi et sa filiation), puis le vase est brisé afin de symbôliser que la menace est écartée. On a ainsi parfois retrouvé des vases brisés accompagnés d'os d'animaux, plus rarement de crânes humains.[75]

---

74 Ce qui aurait fait pâler d'envie Louis XIV !

75 Amôsis, selon Manéthon, avait interdit le sacrifice humain réel (remplacé par des statuettes de cire), mais même la pratique courante de tels sacrifices aux premiers temps de l'Egypte demeure à ce jour incertaine, en dehors de cas ponctuels, isolés ou de rituélisation pratiqués alors dans le cadre de l'exécution de peines capitales exemplaires.

Le peuple a aussi accès à la magie pour résoudre ses problèmes du quotidien.

Les textes et formules leurs sont accessibles dans le Temple ou l'administration locale, où ils se rendent pour les copier (sur papyrus, lin ou ostraca). Mais peu à peu en parallèle se développe une "magie des campagnes".

En récitant les formules le magicien va s'identifier à tel Neter et s'accaparer sa force et ses pouvoirs.

L'aide, l'intervention divine et donc le résultat, sont garantis lorsque le recours à Heka est déterminé par un dysfonctionnement de la Maât.

Les paroles récitées sont fixées par écrit afin de renforcer l'efficacité du rituel (sur papyrus vierge de préférence), et une **figurine *(oushebti)***,[76] généralement en cire d'abeille mais aussi en argile et parfois en faïence, beaucoup plus rarement en albâtre, est ajoutée ainsi que la mention du **nom** et de la filiation, s'il s'agit d'un humain (souvent de la mère car c'est elle qui choisissait le nom).

Les égyptiens portent aussi des **talismans** (papyrus roulés dans un petit étui et gardé autour du cou), des **amulettes** de protection contre tout danger, maladie, mort et aussi pour des vertus que nous qualifierions aujourd'hui de lithothérapiques.

Médecine et magie sont liées aussi en Egypte car les

76 Signifiant "répondant" ou "serviteur"

égyptiens pensent que la maladie est la manifestation physique d'agents surnaturels nuisibles.

La médecine Egyptienne est connue grâce à la découverte et l'étude de nombreux papyrus et notamment à travers le **papyrus Ebers** (maladies de l'estomac, maladies des yeux, tumeurs), le **papyrus Kahoun** (affections gynécologiques), le **papyrus de Berlin** (traitement de la toux)...etc.

Pour guérir magiquement un malade, le médecin-magicien peut utiliser la méthode de **transfert** (sur un animal) ou **s'identifier à un Neter** et ordonner au mal de quitter la personne, en ajoutant au passage quelques "**passes magnétiques**" ; chaque partie du corps a son Neter particulier attribué.

Des **potions, onguents, fumigations, pansements, lavements** étaient aussi administrés en fonction de l'affection ainsi que la confection de **talismans et amulettes personnalisées**.

Pour se protéger des nuisances de **fantômes** on écrivait une lettre au défunt déposée dans sa tombe, avec demande d'intervention d'un Neter ou d'un défunt bienveillant de la famille pour le faire cesser.

Pour lutter contre le **mauvail oeil** on invoquait les deux yeux d'Horus (soleil et lune) et l'on utilisait l'amulette Oudjat.

Dans chaque temple la magie fait aussi l'objet de

cérémonies, les rituels magiques étant liés à la fonction même du Temple et au Neter spécifique qui y préside , les offrandes matérielles et une vie conforme à la Maât contribuant à maintenir la connection.

Dans la **magie cérémonielle**, les ingrédients essentiels sont un rituel oral secret, une gestuelle et une identification de l'opérateur à un Neter afin de plaider d'égal à égal auprès des Neterou la réparation de la perturbation de la Maât, objet de la demande.

En soutien viennent les dessins, écritures, noms, supports matériels, fumigations, statuettes, amulettes, musique, gestes...

Les **gestes** sont peu connus car rarement expliqués par écrit, mais on peut en retrouver quelques uns en examinant quelques bas-reliefs : ainsi le signe d'adoration dit "**signe du ka**" (comme le hiéroglyphe), le "**salut aux Neterou**" (comme les mains des momies posées sur la poitrine) et le "**doigt d'or**" (rassemblant index et majeur de la main droite, bras tendu les autres doigts repliés).[77]

"*Et je ferai que tu étendes ta main face aux Neterou qui sont plus grands que toi*" (Le Livre de la vache et du ciel).

Ces éléments m'invitent à citer Dion Fortune : "*Dans la méthode d'évocation égyptienne, l'opérateur s'identifie avec le Dieu* (Neter) *et s'offre à être lui-même l'instrument de la manifestation : C'est son propre magnétisme qui lui permet de franchir l'abîme existant entre Yésod et Malkuth ; il n'y a pas*

77 La ressemblance avec la posture de la main dans la croix des éléments est frappante... cf partie III

d'autre méthode aussi satisfaisante."[78]

Le corpus comprenant les textes des pyramides, les textes des sarcophages et le livre de sortie au jour sont des **textes magiques**.[79]

Les couleurs symboliques

Il est nécessaire d'aborder ici la symbolique des principales couleurs dans l'Egypte antique, car elles étaient certes **utilisées** pour peindre les bas-reliefs des tombes[80] mais aussi **en magie**.

Le **noir** dans l'Egypte antique est "positif" puisque, *km*, qui donnera *km-t, la **(terre) noire***, c'est à dire l'Egypte, est assimilé à la couleur du limon, qui vient du Nil (Hapy[81]) et fertilise la terre d'Egypte, génératrice.

Osiris (Ouser ou Ousir) est aussi lié par cette couleur, avec toujours l'idée de fertilité et de végétation (limon) mais aussi dans ce cas du royaume des morts, de même pour les lunaires Anubis (Inpou ou Anpou) et Thot (Djehouty), tandis que le blanc a une connotation nourricière ou encore de **pureté** (**albâtre**, quartz, marbre blanc).

---

78 D.Fortune in "La cabale mystique" p 312 §45 ADYAR Editions (1990).

79 En ce sens cf S.Morentz Agyptische religion Stuttgart (1960)

80 Ce qui était au passage déjà une forme de magie, dans le sens d'images physiques projetées et matérialisées en renfort des Medou Neter et des rituels pour le défunt.

81 Notons que Hapy désigne aussi la voie lactée, dans une double symbolique terrestre et céleste.

Des pierres noires et blanches étaient d'ailleurs offertes au défunt, sous la forme de l'**obsidienne** (noire) et du **cristal de roche** ; il faut y voir aussi parfois un symbole du cycle lunaire, nouvelle lune et pleine lune , mais aussi une évocation des yeux d'Horus (un noir et un blanc).

Si le blanc et le noir, on vient de le voir, sont plutôt dans l'ensemble complémentaires, le noir et le rouge se retrouvent généralement en opposition symbolique : **La terre noire (génératrice) et le désert rouge de Seth (destructeur).**

Le rouge, du moins **le roux** est considéré comme une couleur néfaste et les animaux de cette couleur étaient généralement ceux qui étaient les premiers sacrifiés.[82]

D'ailleurs les envoûtements étaient généralement pratiqués avec un support de statuette (ou dagyde) en cire rouge ou en argile rouge.

La couleur rouge est donc ambivalente, à double facette : initialement assimilée au désert hostile elle est ensuite étendue pour désigner les contrées étrangères ennemis, dont il convient de se protéger, voire de détruire.

Elle correspond aussi au **sang** versé, au crime, à la colère, à la violence et sa pierre est la **cornaline**.

Par contre, la nuance **pourpre** (donc le **grenat**) a une connotation très positive, qui s'oppose au roux ; ce qui explique parfois le qualificatif d'"**Horus le pourpre**".

---

82 Cf en ce sens B.Mathieu in "les couleurs dans les textes des pyramides" ENIM 2, 2009 p 25-52

Enfin **l'oeil oudjat** est souvent en **jaspe rouge**, solaire qui brûle les ennemis, de même que le **noeud tit** d'Isis (Aset) puissant et protecteur.

Le **vert** est la couleur de la croissance, de la **fertilité**, du monde végétal et aqueux[83], du vivant et les pierres associées sont la **malachite** et la **turquoise** (eau de Noun et du Nil Hâpi , "principe à naître")[84] ; on lui associe Hathor, surnommée "Maîtresse de la Turquoise " ("*Nebet mefkat*").

La malachite est alors le vert de la régéneration de la nature, de la fertilité, alors que la turquoise symbolise les eaux "dormantes" (Noun).

La malachite broyée était par ailleurs utilisée en maquillage des yeux, non principalement pour une raison esthétique mais pour atténuer les effets du soleil ; parfois un fard noir est utilisé, mais il s'agit alors de **galène** ou stibine, mélangée à de l'eau ou à une gomme afin de prévenir ou de soigner les pathologies de l'oeil.

Notons toutefois que dans le "*rituel de l'ouverture de la bouche*" de la momie, le prêtre farde l'œil gauche (oeil d'Horus) de galène et l'œil droit de **chrysocolle**.

Les amulettes scarabées sont parfois réalisées en **jaspe vert**, même chose pour le *ouadj* réalisé généralement soit en jaspe vert soit en **amazonite**.

Le **lapis-lazuli**, que l'on peut considérer comme une

83 Mais aussi l'astral

84 Cf Christiane Ziegler in "les pierres précieuses de l'Egypte pharaonique" BSNAF 1999 p 244-251

sorte de **bleu foncé**, est principalement relative à la couleur des cheveux des Neterou et aux choses célestes de par son évocation du ciel constellé ; sous son aspect symbole masculin il est alors complémentaire avec la turquoise (féminin) et renvoit aussi à Maât[85]

De là son utilisation parfois pour les scarabées du coeur, pour représenter l'être qui se manifeste, le Ciel, l'aspect cosmique.

Le bleu clair est en rapport avec **l'air** et le souffle : c'est pourquoi Amon a la peau bleu.

Mais généralement **la chair des Neterou est d'or, leurs os sont d'argent** , l'or est aussi un symbole d'éternité (car il ne ternit pas) tandis que l'argent renvoit à la lune.

Encens, huiles, parfums et objets rituéliques

Dans les rituels cérémoniels divins la **statue du Neter** joue un rôle central.

Le pharaon, ou son représentant lors des grands rites, la prend dans ses mains ; s'en suit une onction d'**huile**, ou son aspersion par un aspersoir avec de l'**eau consacrée** (du Nil ou d'un lac voisin), dont on peut reconnaître la source de l'eau "lustrale"des Romains puis des chrétiens.

Lors du rite de l'appel, avec prononciation du nom du

85 Cf S.H. Aufrère in Archéo-Nil n°7 octobre 1997 p 126

Neter à voix haute, en levant les bras, paumes vers la statue (donc au signe du Ka), suivi d'une longue incantation ou litanie, il n'est pas rare de trouver aussi des **vases à feu**, de la résine de **térébinthe**, de l'**oliban**, de la **myrrhe**, ou le fameux **Kouphi.**

Sa recette est assez compliquée car elle contient de nombreux ingrédients, parfois difficiles à identifier puis à se procurer, et nécessite du temps car nombreuses sont ses phases de fabrication.

La première difficulté pour retrouver la formule du Kouphi est qu'il existe de nombreuses recettes avec des ingrédients partiellement différents.

Il existe des recettes égyptiennes puis grecques qui en contiennent de dix à... cinquante ![86]

Victor Loret entre autres s'est attelé à rechercher sa recette primitive[87], ses composants, ses proportions et les diverses phases de sa fabrication.

Très récemment, Vincent Lauvergne s'est lancé lui aussi dans la quête[88] et a produit une vidéo.

La racine égyptienne *Kap* est relative à l'action de brûler, plus exactement brûler quelque chose qui génère de la fumée sans flammes, mais son sens courant est de fumiger

86 Cf en ce sens Hélène Chouramia- Raïos PALLAS revue d'études antiques 2018, 108 p225-240 §9

87 Victor Loret "le Kyphi, parfum sacré des anciens égyptiens" (1887).

88 Vincent Lauvergne in "Traité des encens" aux Editions TRAJECTOIRE (2018) p 201-202

(d'une fumée odorante ou non).

Le mot dérivé de Kap par contre pour **parfum à brûler** se dit **Kouphi** en égyptien, d'où la traduction en Grec par Kyphi.

La recette du Kouphi se divise en **cinq phases,** qu'il convient de respecter scrupuleusement.

Le choix de **16 ingrédients** proposés par **Victor Loret**, nonobstant la qualité de ses recherches et traductions égyptiennes, grecques et coptes, est fort intéressant dans la mesure où un *"grand des voyants"* **Manethon** lui-même évoque un Kouphi à 16 ingrédients, tout comme **Plutarque** et **Galien.**

Nous retiendrons donc pour la recette que je vous propose ici **16 ingrédients égyptiens, choisis parmi ceux qui reviennent le plus souvent** et qui ont donc le plus de chance d'être les composants originaux de la recette authentique du Kouphi [89] :

Nous trouvons ainsi le *calamus aromaticus* (acorus calamus, **acore odorant**), l'*andropogon schoenanthus* (**citronnelle**), le *pistacia lentiscus* (pistachier lentisque ou **mastic**), le *laurus cassia* (**séné**), le *laurus cinnamomum* (cinnamome ou **cardamone**), la *mentha piperita* (**menthe poivrée**), l'*aspalathe* (convolvulus scoparius ou cytisus scoparius, aspalathe, **genêt**), le *juniperus phoenicea* (genévrier,

89 Avec un particulier intérêt pour ce que dit **Manéthon** (qui connait son sujet... car égyptien antique et de surcroit **grand-Prètre d'Héliopolis** !) cf aussi MANETHO par G.Waddel Harvard university press (1964) p 202-205.

baies de genévrier), l'*acacia farnesiana* (fleur de cassier, **fleur de Mimosa**), le *lawsonia inermis* (**henné**), le *cyperus longus* (**souchet odorant**), des **raisins secs**, du **vin** d'oasis[90], du **miel**, du *pistacia terebinthus* (pistachier térébinthe : **résine de térébinthe)** et de la **myrrhe**.

La recette initiale donne une masse totale de 10164 gr, c'est à dire plus de 10 kgs !

Cette quantité était sûrement utile pour les besoins des prêtres des Temples mais pour nous un fractionnement s'avèrera nécessaire, pour celles et ceux courageux qui voudront essayer eux_même de reproduire la recette du Kouphi à la maison ; sinon je peux vous en proposer aussi via mon site.[91]

Aussi je préconiserai ici des proportions raisonnablement adaptées à un usage individuel.

On a donc au final, pour une recette authentique du Kouphi égyptien :

Phase 1:
Acore odorant (50 gr)
Citronnelle (50 gr)
Mastic (50 gr)
Séné (50 gr)
Cardamone (50 gr)
Menthe poivrée (50 gr)
Genêt (50 gr)

90 Un vin blanc fera l'affaire, compte tenu de l'absence de fermentation (le vin reposait à l'air libre puis était mis en amphores).

91 Mes coordonnées sont indiquées à la rubrique contacts en fin d'ouvrage

Le total pour ces 7 ingrédients est donc de 350 gr.

Broyer finement et n'employer que les 2/5ème soit 140 gr (*"la meilleure partie"*).

Phase 2:

Baies de genévrier (50 gr)
Mimosa (50 gr)
Henné (50 gr)
Souchet odorant (50 gr)

Broyer le tout finement, humidifier de vin blanc pour 75 cl (soit une bouteille) et laisser reposer pendant 1 jour.

Phase 3:

Raisins secs 200 gr
Vin blanc 225 cl (soient 3 bouteilles)

Mélanger ces deux ingrédients aux onze ingrédients des phases 1 et 2 et laisser reposer durant 5 jours.

Phase 4 :

Pistachier térébinthe (résine) 200 gr
Miel 500 gr

Mélanger ces deux ingrédients et les faire chauffer au bain-marie jusqu'à les réduire de 1/5ème de leur masse (soit 560 gr)

Phase 5 :

Myrrhe broyée finement 350 gr

Mélanger tous les 16 ingrédients ensemble puis **former des boulettes qu'on laisse sécher**.

Ensuite le Kouphi est prèt à l'emploi, et nous avons un stock de plus de 4 kgs ; il suffit alors de faire brûler quelques grains dans l'encensoir et l'odeur dégagée est...extraordinaire !

Il faut donc une semaine pour le fabriquer 1+5, puis +1 pour le séchage (repos) soit 7 jours.

Les prêtres égyptiens en faisaient brûler le soir dans leur Temple, à l'aube c'était l'Oliban et à la mi-journée la Myrrhe, c'est pourquoi nous n'utiliserons que ces trois variétés d'encens, sauf exception, lors de nos opérations magiques (cf troisième partie de l'ouvrage).

La **fleur de lotus bleu** est le symbole de la Lumière qui sort de *Noun*, l'océan primordial ; le lotus bleu est diurne et solaire,tandis que le lotus blanc est nocturne et lunaire.

Il existe aussi en Egypte une variété rose, mais sont implantation est bien plus tardive (occupation Perse).

Le lotus bleu est donc historiquement et symboliquement préféré car sa fleur sort de l'eau au lever de soleil et y retourne dès son coucher.

Notons aussi que le Lotus, par correspondance selon la tradition primordiale (en l'occurence ici dans la tradition hindoue) désigne aussi les chakras.[92]

Par ailleurs, les offrandes sont généralement du **pain**, de la **bière**, du **vin**, des **gateaux**, du **lait**, de la **viande** (surtout de volaille, rarement de boeuf, l'offrande de viande se faisant en principe dans les temples ou dans les mastabas), de l'**encens**, des **fleurs.**

Sans oublier les divers **objets magiques et** autres **amulettes** : pierres précieuses et semi-précieuses, was, ankh, tit, oudjat, ouadj,...

Cycles, calendrier, astronomie et astrologie

Les sages de l'Egypte antique considéraient l'astrologie comme une science Sacrée.

Ainsi, des prêtres spécialisés étudiaient le mouvement des "astres" et les notaient précieusement sur des papyrus ; des équipes se relayaient jour et nuit sur les toits-terrasses des grands temples (à Abydos, Karnak, Denderah, Edfou...).

La science astrologique a pour fondement les nombres 3,7 et 12 (3 niveaux d'influence, 3 décans, 7 planètes, 12 signes du zodiaque,...etc)

3 est la Trinité, base de l'univers, nombre qui règne partout et l'Unité en est son Principe.

On retrouve le 3 par exemple dans les trigones

92 Cf René GUENON in "Symboles de la science sacrée" p332

élémentaires

7 car 3 + 4 représentent la connection entre le Ciel et la Terre et la rencontre des deux triangles du sceau équilibrés par l'Unité en son centre et matérialisé par le point. 7 est aussi le centre d'où émanent les directions.

Et 12 car 4 ternaires sont positionnés aux 4 points cardinaux 3 X 4 et car la soleil poursuit sa course dans 12 constellations.

On obtient donc : 3 + 7 + 12 = 22, qui est aussi le nombre des arcanes majeurs d'un tarot, le nombre de lettres de l'alphabet hébreu, les 22 sentiers, le souffle de Yéyaï ou triple Yod, qui porte le numéro 22 dans la kabbale,...etc

Et ceci est universel, cela fait partie de la Tradition Primordiale ; comme nous le verrons dans la Tradition égyptienne en matière d'astrologie, ces trois nombres apparaissent aussi en trame : Trois niveaux d'influences (Constellation d'Orion, ceinture Zodiacale et planètes errantes), 7 planètes, 7 Esprits supérieurs, 7 cercles du Destin[93], 12 signes du zodiaque...etc.

Sans oublier que 3 + 7 = 10 renvoit à l'arbre de vie, au

93 Poimandres

tétraktys et au Sycomore Sacré[94].

On voit ainsi que la science astrologique part du principe que les influences célestes influent sur le plan terrestre, comme une empreinte, une projection, une image,un miroir et donc sur le destin de l'homme, signatures qu'elle s'efforce de recueillir puis d' interpréter.

Elle a donc une grande utilité pratique puisqu'elle définit précisément le caractère et les tendances du sujet, et permettront d'éviter malheurs, fautes, épreuves, coups du destin (c'est à dire rétablir la Maât et combattre l'Isfet) ou du moins le préparer à les recevoir ainsi que les succès.

L'astrologie égyptienne semble prendre sa source dans la nuit des temps à **Dendérah**, où fut notamment découvert " le zodiaque de Dendérah", dont l'original est aujourd'hui au musée du Louvre à Paris.

Certaines légendes font remonter la création du premier temple de Denderah à la période du déluge ou grand cataclysme, expression d'une Connaissance des égyptiens qui aurait été ramenée d'Atlantide par les rescapés des clans fratricides d'Horus et de Seth.

Quoi qu'il en soit, le temple actuel ainsi que ce zodiaque sont d'époque Ptolémaïque, car la plupart des temples ont été détruits en toute ou partie lors des invasions, puis réparés ou reconstruits sous les Ptolémées.

Cependant, les textes de l'époque Khéops mentionnent

94 Cf partie III

que le temple a été édifié grâce aux plans"*tracés par les scribes Aînés, après l'anéantissement, au temps des suivants d'Horus*" (donc bien **avant Ménès de la première dynastie**) [95]

Malgré cela, la majorité des égyptologues ramène néanmoins la construction des premiers bâtiments de Denderah seulement à la IVème dynastie (Khéops), soit quand même il y a 4600 ans ![96]

Tout comme les égyptiens ne séparaient pas dans la vie quotidienne vie religieuse et magie, ils ne séparaient pas non plus l'astrologie de l'astronomie.

Pour eux l'**astrologie** est une application spéciale de l'astronomie, une **conséquence majeure de l'intervention Divine** depuis le Ciel sur la Terre et qu'il convient dès lors de comprendre et de suivre régulièrement, pour la bonne marche de la vie terrestre ; elle est donc aussi magique et trouve des applications à la fois sur le devenir de l'humanité et des nations mais aussi sur le destin de chaque homme.

Ceci dit, nous la nommerons "astrologie égyptienne" pour une meilleure compréhension et nous constaterons que son approche est **purement sidérale**.[97]

Dans le système astrologique égyptien tout d'abord, le centre n'est pas l'étoile Solaire mais **l'étoile Spd** (plus connue sous le nom de Soped, Sopdet ou **Sirius**) de la constellation d'

95 Cf en ce sens A.Slosman *in* "L'astronomie selon les égyptiens" OMNIA VERITAS (1983) p23-24 et le papyrus de Turin *supra*

96 On est donc déjà chronologiquement antérieur aux sumériens et chaldéens, et même à 5800 ans avec la dynastie "zéro" !

97 Dans la dychotomie sidérale/tropicale

Orion (Sah), "la grande pourvoyeuse".

C'est elle qui **prime par son influence** sur la terre, et le Soleil ici est ramené à une simple "errante", au même titre que les autres "astres vagabonds" pris en compte du système solaire.

Quand on voit la puissance de l'énergie qui nous arrive directement d'Orion à la vitesse de la Lumière, le concept apparait moins puéril qu'*apriori.*

Après Sirius vient dans l'ordre d'influence **la ceinture** de la voie lactée, c'est à dire **les douze constellations du zodiaque,** que le système solaire parcours à reculons depuis ce que certains nomment "le grand cataclysme".

Ce sont douze groupes d'étoiles, toujours les mêmes, dont le circuit annuel est visible dans le ciel, c'est pouquoi elles sont parfois appelées "les indestructibles".

Ces douze constellations de la ceinture de la voie lactée (Hapy), peuvent se circonscrire dans un **cercle céleste de 360°**, **mais** en se voyant octroyer un **poids pondéré**, fonction de son influence spécifique, déterminée ainsi précisement par les Maîtres de la Mesure et du Nombre.

Cette pondération, ainsi que l'influence majeure d'Orion, font partie des spécificités essentielles de l'astrologie égyptienne.

Constellations	Mois	Pondération sur le cercle d'or (360°)
Cancer	Thot	**26°**
Lion	Paophi	36°
Vierge	Athyr	36°
Balance	Choiac	**24°**
Scorpion	Tybi	24°
Sagittaire	Mechir	34°
Capricorne	Phaménoth	**34°**
Verseau	Pharmouti	28°
Poissons	Pachons	28°
Bélier	Payni	**32°**
Taureau	Epiphi	32°
Gémeaux	Mésori	26°

Tableau égyptien de pondération des constellations de la Ceinture sur le Cercle Céleste

Ensuite, et **en dernier** seulement **dans l'ordre d'influence**, viennent **les errantes** ou "vagabondes" composées de **sept** "**planètes**" : le **Soleil** (Râ) , la **Lune** (Aset ou Iah[98]), **Mercure** (Hor-Set'Ahâ-Ptah ou Sobeg), **Vénus** (Hor-Hen-Nout ou Douaou voire Ouâti selon que nous sommes le matin ou le soir), **Mars** (Hor-Akhti, ou Hor-Tesch ou Hor-Pi-Tesch), **Jupiter** (Sba Resy, Hor-Oup-Chêta ou Hor-Chêta) et **Saturne** (Hor-Sar-Kher).

Ce sont les astres visibles à l'oeil nu ; ici il n'est donc pas question de 8ème, 9ème ou 10ème planète, ni d'ailleurs de 13ème Constellation.

Les "Maisons" sont aussi représentées dans un cercle de 360°, mais cette fois **avec une valeur identique de 30° chacune**.

Les décans (appelés "Baou des Dieux", Bakou ou encore Khent) sont familiers de l'astrologie moderne, ils divisent chaque mois en trois parties égales de dix jours.

Ils ne semblent pas être à l'origine au nombre de 36 (ajout tardif du Nouvel Empire repris par les Grecs) mais oscillent entre 42, 64, 72 voire 90.

Ils sont par exemple au nombre de 64[99] à Dendérah, dont certains toutefois jouent un rôle neutre.

Ce nombre de 64 n'est pas sans interroger : En effet, il rappelle par exemple les 64 aspects de l'oeil Oudjat, ou encore

98 Parfois Nekhbet aussi, selon sa situation, ses phases (même principe que pour le Soleil).
99 Parfois 72 aussi (36X2 origine des 72 souffles?), mais le système de Dendérah étant antérieur nous aurons tendance à retenir plutôt 64 "khent" initiaux.

les 64 codons du code génétique (pour 22 acides aminés), les 64 hexagrammes du Yi-King, l'oeil oudjat,...

Quant aux mentions parfois de 72 décans (36X2), on ne peut s'empècher de faire un lien avec les 72 puissance ou, souffles de la Kabbale[100].

42 est aussi le nombre des juges dans la pesée du Livre des morts, le nombre de Nomes (circonscriptions territoriales) de l'Egypte, le nom de Dieu en 42 lettres des hébreux...

Dans sa Thèse, Karine Gadré[101] confirme que le nombre de décans égyptiens ne sont pas 36 à l'origine.
dentiques à 30°. mais il y a 64 décans au lieu de 36.

L'astrologie, ou plutôt l'astronomie appliquée, revêt une importance toute particulière en Egypte antique dans la mesure où, en l'état de nos connaissances, observations et compte tenu de la chronologie, il semblerait bien qu'en définitive ils en soient les "inventeurs", du moins les premiers praticiens.

En effet, les chaldéens et les babyloniens ne peuvent être les premiers astrologues, les textes gravés de Dendérah, les dédicaces et notes sur papyrus découverts et déchiffrés sont formels, tant au niveau du fond qu'au regard des chronologies.

Les chaldéens et babyloniens, ainsi que plus tard les grecs, ont donc dû puiser ponctuellement dans les CMD égyptiens, mais n'ont eu semble-t-il qu' un accès partiel aux "*Combinaisons-mathématiques-Divines* "[102] au regard de leurs

100cf. Virya "les 72 puissances de la Kabbale" ed. LAHY (2004)

101Karine Gadré "Conception d'un modèle de visibilité d'étoiles à l'oeil nu ; application à l'identification des décans égyptiens" (2008)

102Alors qu'une légende vivace prétend l'inverse

propres écrits.

L'Egypte, comme beaucoup de civilisations antiques, conçoit le **temps** terrestre de manière **cyclique**.

La vie quotidienne est marquée par **trois évènements naturels** : Saison de l'**inondation**, puis **retrait des eaux** (propice à l'agriculture), puis période de **sécheresse** croissante, puis de nouveau inondation...etc.

Aussi l'année égyptienne est naturellement répartie en **trois saisons** (*Akhet*, *Peret*, *Chemou*) avec quatres mois de trente jours pour chaque saison.[103]

A partir du Nouvel Empire les mois prirent des noms officiels spécifiques : *Thot, Phaopi, Athyr, Choiak* (les 4 mois d'Akhet) , *Tybi, Méchir, Phaménoth, Pharmouti* (les 4 mois de Peret), *Pachons, Payni, Epiphi* et *Mésori* (les 4 mois de Chémou).

Le périple d'Ouser ou Ousir (Osiris) lui-même semble avoir été calqué sur des analogies saisonnières et astronomiques :

Les textes des pyramides relatent en effet la survenue de la renaissance d'Ouser au moment de la crue du Nil[104] et de l'apparition de la constellation d'Orion (Sah[105]) et de l'étoile Sirius (Spd/Soped ou encore Sopedit/Sep'ti) dans le ciel, à l'Est.

103Par exemple : 1er jour du 2ème mois d'Akhet dans la Vème année du règne du pharaon Séthi 1er.
104De nos jours vers le 19 juillet
105Souvent identifiée à Her/Hor

Ainsi Ouser, après avoir disparu avec elles à l'ouest dans l'"au-delà", le royaume des morts (Douat) réapparaissait à l'Est, régénéré et Vivant.

"*Son frère est Orion, sa soeur est Sirius, et le Pharaon* (prototype de l'Osiris) *se tient entre eux dans son pays pour toujours*" relatent les Textes des pyramides.

Or, leur durée de disparition d'Orion est de **soixante dix jours**, ce qui correspond exactement à celle de l'embaumement des momies.

Plus généralement, la période de **juillet** était synonyme de retour à la vie, de résurrection, le signe du **Cancer** étant représenté à l'origine par le **scarabée (khéper)** et non le crabe (en souvenir réel ou mythique du retour du Soleil en Cancer après le grand cataclysme du Lion)[106] et dès lors marquait le **début de l'année** calendaire égyptien avec des festivités populaires.

L'année calendaire égyptienne était donc formée de 3 saisons de 4 mois chacun et de durée mensuelle égale de 30 jours.

A ces 360 jours étaient ajoutés dans le calendrier 5 autres jours (afin de cadrer avec le retour de Sirius et ne pas perturber l'agriculture) ; mais **le 6ème jour n'était pas pris en compte** (Thot n'ayant gagné que 5 jours aux dés) et nous devons préciser que cela l'était **VOLONTAIREMENT, afin**

106C'est aussi pourquoi le zodiaque égyptien commence par le Cancer et non par le Bélier, mais aussi en raison d'une grande proximité spirituelle avec Sirius qui réapparait en Cancer pour annoncer la nouvelle année.

que l'année calendaire coincide exactement avec le retour de Sirius tous les 1461 ans (cycle appelé "l'année de Dieu").

Les égyptiens connaissaient en effet parfaitement, eut égard aux calculs et mentions sur monuments, papyrus et bas-reliefs, **l'année de trois cent soixante cinq jours un quart.**

C'est d'ailleurs pour cette raison qu'ils donnaient la primauté à Sirius plutôt qu'au Soleil moins fiable pour les CMD.

Une autre raison, plus pratique qu'astronomique, était de faire cadrer le ciel avec la terre, c'est à dire qu' avec une "année vague" (de 360 jours) on pouvait avoir un cercle naturel de 360°, à la fois pour la ceinture zodiacale ET pour les 12 maisons de 30° (12X30).

Cela simplifiait les calculs et le visuel, d'autant plus que pour le calcul par exemple de l'ascendant (fondamental pour connaître la première Maison et donc les autres) il n'était pas nécessaire à cette époque de chercher l'heure sidérale à partir de l'heure locale et l'heure d'été-hiver, une observation directe suffisait.

Par ailleurs, **l'année vague de 360 jours**, utilisée en astrologie, **n'enlevait rien à la qualité des données**, car pour une vie humaine, l'erreur, la distorsion espace-temps, n'est que d'un millionième...

Pour représenter un horoscope dans les "Maisons solaires" on traçait donc un cercle divisé en 12 parties de 30° chacune.

Attention, l'Est était à gauche, l'Ouest à droite, le Sud au Nord et le Nord au Sud sur les graphiques.

On constate que les directions sont à l'envers, mais quoi de plus naturel lorsque l'on sait qu'il s'agit de la projection, d'une image du Ciel sur la terre...

De la même manière, la Maison I (l'ascendant, déterminé par la visualisation des positions célestes au moment exact de la naissance, lorsque le bébé pousse un cri lors de la coupure du cordon ombilical) est à gauche, c'est à dire à l' Est ; les autres suivent automatiquement mais dans le sens donc inverse des aiguilles d'une montre (sens lévogyre et non dextrogyre).

Chaque Maison a sa spécialité :

Maison	Spécificités
1	Durée de vie, tempérament, facultés
2	Prospérité matérielle
3	Rapports avec fratrie
4	Rapports avec ascendants,et les choses cachées
5	Bonheur, plaisirs, descendance

6	Maladies, désagréments professionnel & voisinage
7	Liaisons, couple, mariage, querelles
8	Genre de mort, questions de dons, d'héritage
9	Religion, voyages
10	Position sociale, succès, élevation, chute
11	Amitiés & protections
12	Grands malheurs, ennemis

Dans ce cercle sont disposés les 7 "errantes", qui, en fonction de leurs positions respectives, vont donner des précisions pour décrypter un thème astral spécifique.

Pour les égyptiens ancines, des guides supérieurs nous guident donc et nous mettent en garde durant notre parcours terrestre.

On peut y voir une correspondance avec le "*frappez et on vous ouvrira*" des Evangiles ; d'ailleurs porte et étoile se disent tous deux SBA en égyptien !

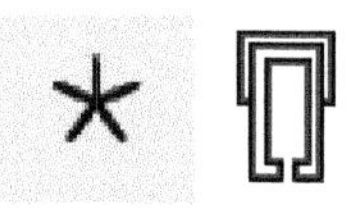

Et SBA veut encore dire enseigner, ce qui est bien ouvrir une porte, répondre à un questionnement, donner des solutions, et lorsque l'enseignement est spirituel il s'agit d'une ouverture de la porte des étoiles, vers le Ciel.

Ceci démontre encore une fois la richesse symbolique et les correspondances hiéroglyphiques dans le sens général où celui qui cherche la lumière et la vérité reçoit une assistance des forces Célestes.

Ainsi, les anciens égyptiens concevaient l'astrologie comme des hiéroglyphes, des Medou Neter, qu'il convient de déchiffrer.

Au nouvel empire les 36 décans finissent par s'imposer, chacun occupant 10° de l'écliptique correspond à la période de 10 jours nécessaires pour être franchi par le soleil, 36 X 10 = 360.

Voici tout d'abord un tableau de correspondances pour les 12 signes, influences, couleurs...

Signe	**Nom égyptien**	**Influence**	**Couleur**	**Pierre**
Bélier	Payni	Amon	Feu	*Calcédoine*
Taureau	Epiphi	Apis	Vert foncé	Emeraude
Gémeaux	Mésori	Hersul	Marron	Sardoine
Cancer	Thot	Hermanubis	Argent	*Sardonix*
Lion	Paophi	Momphta	Or	Chrysolithe
Vierge	Athyr	Isis	Multicolore	Béryl
Balance	Choiac	Omphta	Vert d'eau	*Topaze*
Scorpion	Tybi	Typhon	Vermillon	Chrysoprase
Sagittaire	Mechir	Nephtys	Bleu ciel	Jacynthe
Capricorne	Phaménoth	Anubis	Noir	*Améthyste*
Verseau	Pharmouti	Kanorus	Gris	Escarboucle
Poissons	Pachons	Jho-on	Bleu marine	Saphir

Voici ensuite un tableau des 36 décans, avec correspondances et traits de caractères :

Décan	Nom (tardif)	Placement	Constellation	Caractère, aptitude
1	Asiccan	Premier bélier	Cassiopeia	Dur, obstiné
2	Senacher	Second bélier	Cetus	Noble, commandement
3	Asentacer	Troisième bélier	Perseus	Souplesse, passion
4	Assicat	Premier taureau	Eridanus	Sciences, arts
5	Viroaso	Second taureau	Auriga	Elevation sociale
6	Atharp-Ramanor	Troisième taureau	Orionis	Obstacles, tristesse
7	Thesogar	Premier gémeaux	Lepus	Sciences abstraites
8	Verasua	Second gémeaux	Canis major	Inquiet
9	Tepizatosoa	Troisième gémeaux	Canis minor	Sociable, insouciant
10	Sothis	Premier cancer	Ursa minor	Esprit vif, sympathie
11	Seth	Second cancer	Ursa major	*Joueur, accumule les richesses*
12	Chumis	Troisième cancer	Argo navis	Base des droits sur sa force

13	Charchumis	Premier lion	Hydra	Énergie, mais au service de mauvaises passions
14	Aseu ou Sithacer	Second lion	Crater	Arogant, tyran, provocateur
15	Ptebiou	Troisième lion	Corvus	Rigide, obstiné
16	Thumis	Premier vierge	Coma berenice	Indécis, sédentaire, manuel
17	Thopitus	Second vierge	Centaurus	Avarice, luxe, faste
18	Aphut	Troisième vierge	Bootes	Paresse, faiblesse, destructe
19	Seruchut	Premier balance	Crux	Juste, protecteur
20	Ptechout	Second balance	Lupus	Difficultés,stagne
21	Seket	Troisième balance	Corona bor.	Sentimental
22	Sentacer	Premier scorpion	Serpens	Déceptions, difficultés
23	Tepiseuth	Second scorpion	Orphiuchus	Déception, antipathies
24	Senciner	Troisième scorpion	Hercules	Hypersensualité

25	Eregbuo	Premier sagittaire	Lyra	*Indépendant, soldat*
26	Sagen	Second sagittaire	Ara	Malheurs, chagrins
27	Chenen	Troisième sagittaire	Draco	Obstiné, mauvais, dangereux
28	Hemeso	Premier capricorne	Sagitta	Voyages, richesse ou ruine
29	Epanoa ou Epima	Second capricorne	Aquila	Intelligence orientée vers l'impossible ou l'inutile
30	Homoth	Troisième capricorne	Delphinu s	*Chagrin, faiblesse*
31	Oroasoer	Premier verseau	Cygnus	Désagréments au sujet de la fortune acquise, retards dans les projets
32	Astiro	Second verseau	Pegasus	Intelligent, pur, vertueux
33	Tepisatras	Troisième verseau	Piscis aus.	Déceptions en tout
34	Archatapia s	Premier poissons	Equuleus	Insconstant, agité,

				changeant
35	Thopibué	Second poissons	Andromeda	Paraitre, vaniteux, impulsif
36	Atemboui	Troisième poissons	Cepheus	Insouciant, borné, plaisirs

N° Décan	Variante Budge[107]	Association (Budge)	Autre variante
1	Tepa kenmut	Seb	Tapebiou
2	Kenmut	Ba	Khontaker
3	Kher khept kenmut	Khentet khast	Sikat
4	Ha tchat	Ast	Kaou
5	Pehuy tchat	Nebt tep ahet	Herat
6	Themat hert	Mestha hapi	Remenhar
7	Themat khert	Qbh sennuf	Tesouk
8	Ustha	Tuamutef	Ouar
9	Bekatha	Hapi	Phouhor
10	Tepa khentet	Hapi	Sopdi
11	Khentet hert	Heru	Sit
12	Khentet khert	Set	Knoumi

107Liste E.A. Wallis Budge "The gods of egypt" (cf bibliographie).

13	Themes en khentet	Heru	Karthoumi
14	Sapt khennu	Ast nebt het	Hadsat
15	Her ab uaa	Set	Phoudsat
16	Shesmu	Heru	Toum
17	Kenmu	Mestha	Oushtabkat
18	Semtet	Heru	Apsot
19	Tepa semt	Hapi	Shovkos
20	Sert	Ast	Tepchont
21	Sasa sert	Tuamutef	Khontar
22	Kher khept sert	Qbh sennuf	Soptekhenou
23	Khukhu	-	Seshmou
24	Baba	Tuamutef	Siseshmou
25	Khent heru	Mestha	Herabouo
26	Her ab khentu	Heru	Seshmou
27	Khent kheru	Heru	Konimou
28	Qet	Heru	Smati
29	Sasaqet	-	Srot
30	Art	Mestha	Sisrot
31	Khau	Hapi	Tapkhou
32	Remen heru an	Mestha	Khou

	sah		
33	Mestcher sah	Tuamutef	Tapebiou
34	Remen kher sah	Maât heru	Biou
35	A sah	Maât heru	Khontaka r
36	Sah	Maât heru	Tapebiou
37	Septet [108]	Maât heru ast	-

Les égyptiens antiques ont par ailleurs édité un système journalier en continu sur toute l'année calendaire civile (donc 365) indiquant "les jours fastes et néfastes".

En ce sens un premier support de texte, appelé **papyrus Sallier IV**, situé au British Museum, a été traduit jadis par françois Chabas ; mais il demeure incomplet puisqu'il ne couvre que huit mois sur douze et n'a pas été daté.

Peu après la seconde guerre mondiale, un autre musée, celui du Caire a acquis un nouveau papyrus, traduit seulement en 1966 (***Cairo calendar* n°86637**) par A. Bakir.

Ce papyrus a été divisé en trois partie, la partie II concernant justement les jours favorables et défavorables.

Le texte a pu être daté astronomiquement en 1312 av.JC (sous le règne de Ramsès II) et avec des mesures depuis le temple d'Abydos.

108Le 37 est associé aux 5 jours rajoutés aux 360.

En 1994 christian Leitz publie en allemand une traduction de la partie II,complète.[109]

La même année A.Spalinger (in "calendars real and ideal" Van Siclen Books Texas USA) considère pour sa part que cette date est éronnée et qu'il faut remonter à la XIIème dynastie, soit 450 années en arrière.

Mais, quoi qu'il en soit, c'est en tous cas une preuve indéniable que les égyptiens se livraient aussi à la divination par les astres, et qu'ils en faisaient un usage quotidien popularisé.

L' Egypte ancienne a traversé tour à tour à reculons l'ère du Taureau, puis celle du Bélier et a connu les débuts de l'ère des Poissons (le soleil était vu dans le ciel traverser le zodiaque à rebours dans la marche de la *mandjit*[110]).

Dérivée de ces observations astronomiques à l'oeil nu, l'astrologie eut donc très tôt une importance capitale dans l'Egypte antique et fut avant tout une méthode d'enseignement de Sagesse fondée sur l'observation des étoiles et l'interprétation de la Maât (qui donnait des instructions depuis le Ciel visibles sur terre) mais aussi, par extension, de divination.

109Tagewählerei: Das Buch h t nhh ph.wy dt, undverwandte Texte. Ägyptologische Abhandlungen, Bd. 55. 2 vols. Harrassowitz, Wiesbaden, Germany (mais je ne lis hélas pas l'allemand)

110 Une des deux barques solaires de Râ

"*Toute notre vie dépend de la marche du Ciel, puisque nous constatons les influences annuelles du Soleil et mensuelles de la Lune dans toute la Nature. De même, il y a des influences à durées plus longues, causées par les coïncidences de ces astres et de la situation du Soleil dans les constellations.*"[111]

Parmi les autres applications pratiques de l'astronomie, notons sans surprise que les **monuments**, tels les temples et les pyramides, étaient **orientés** de façon précise et symbolique, en harmonie avec les CMD.

Robert Bauval, ingénieur civil, au milieu des années 1990 prend des mesures très complètes et précises de la grande pyramide de Gizeh.[112]

Son travail est cité par la suite par Kate Spence[113] du British Museum et de l'Université de Cambridge.

Ce n'est qu'à partir de cette publication dans la revue Nature que le travail de Bauval ne peut plus être ignoré.

Il ressort de ses travaux que les pyramides de Gizeh seraient l'exacte projection sur terre de la position de la constellation d'Orion, il y a de cela plus de...12000 ans.

111*In* Her-Bak Disciple, I. Schwaller de Lubicz, Champs Flammarion (1956) p158

112Robert Bauval "Le mystère d'Orion" Editions PYGMALION (1997) et "Le code mystérieux des pyramides" (2008)

113Kate Spence in "Ancient egyptian chronology and the astronomical orientation of pyramids", Nature Vol.408 p 320

Le Sphinx est en effet tourné plein Est et a le corps d'un Lion : Or, cette position astronomique, en rapport avec la constellation du Lion, aurait été établie précisément pour Bauval seulement en 10500 avant JC.

S'ajoutent cependant d'autres éléments à notre interrogation : l'érosion du corps du Sphinx (et pas de la tête, alors peut être resculptée plus tard?) montre l'action de grosses pluies sur les pierres de la statue, pluies et intempéries qui ont cessé pourtant il y a environ ...10000 ans, avec le changement d'ère.

Les pyramides et le Sphinx auraient-elles donc été construites bien antérieurement aux dates officielles ? Par les Egyptiens ou leurs prédessesseurs ? Avec ou sans une technologie avancée ? Les enchères montent vite et les supputations vont souvent bien loin.

Ma conviction, concernant les dates de constructions, restent cependant la IVème dynastie de l'ancien empire (soit il y a de cela plus de 4600 ans).

Mais comment par contre construire, et ceci rapidement, avec un ajustement parfait, des monuments massifs avec des burins et des ciseaux et les transporter par l'énergie humaine [114] ?

Ces pistes méritent donc aujourd'hui d'être sérieusement approfondies.

Je mentionne en ce sens une théorie qui me semble sur

114 Plusieurs millions de pierres d'au moins une tonne chacune, quand c'est pas deux voire plus !...

ce point interessante, dans la mesure où elle règlerait bien des problèmes, si elle était validée.

Je veux parler de la thèse de Joseph Davidovits selon lequel les pyramides ont été bâties sans esclaves (çà on le savait déjà) mais non plus...sans pierres! Oui, vous ne rêvez pas.

Les blocs étaient selon lui moulés sur place, dans des coffrages en bois, avec de la pierre reconstituée à l'aide de divers matériaux à portée de main et mélangés avec de l'eau, puis on laissait sécher et on déplaçait le coffrage juste à coté, prêt pour un moulage sur l'emplacement suivant.

Dans ces conditions plus besoin d'outils à technologie avancée, plus besoin d'intervention atlante ou extra-terrestre, plus besoin de nombreux ouvriers.

L'explication de la technique de construction des conduits d'aération et de la grande galerie de khéops devient par ailleurs enfantine : On laissait tout simplement le trou correspondant, ou plutôt un emplacement vide adéquoit à chaque niveau de la plateforme, à mesure qu'elle s'érigeait.

Ce qui est terriblement convainquant, malgré un "niet" des autorités sur la théorie, est que l'on a retrouvé divers outils, même des pierres, et des tiges en cuivre, encastrées dans certaines roches, mais ne servant apparement à rien.

On peut toujours en voir aujourd'hui sur place sur les sites, et c'est ouvert au public.

D'autres personnes se sont rendues sur place pour étudier cela de plus près et étayent au final cette théorie.[115]

Par ailleurs les pierres prétendues de taille ne portent pas de marque de taille mais par contre on retrouve sur certaines des frottements, qui laisseraient supposer l'avancement du chariot de bois.

Dernier point, une pierre de la grande pyramide a été découverte fissurée ; cependant des mesures qui auraient été faites ressortiraient que la raison n'en est pas le poids, sinon la félure serait au milieu de la pierre, mais le retait prématuré du caisson de coulage.

Pour revenir aux mesures et à l'orientation du site de Gizeh, les résultats indiquent incontestablement et sans hasard possible, pour l'équipe bauval, que **les pyramides sont placés exactement comme si elles représentaient une image terrestre de la position des étoiles les plus lumineuses de la constellation d'Orion** ...et pour eux toujours en date de 10500 avant JC.

Au final ces monuments sont-ils réellement des tombeaux ?

On recherche toujours désespérement leurs innombrables hiéroglyphes sur les murs, dont il devrait y avoir necessairement des traces s'ils étaient réellement destinés à accueillir des dépouilles pharaoniques, surtout de la part de monuments si colossaux, si importants donc, ces nombreux

115 Mais attention, il y a dans ces groupes des gens sérieux mais aussi comme partout quelques hurluberlus.

hiéroglyphes auraient dû alors normalement perdurer au moins en partie même après des pillages.

A-t on voulu faire passer un message important ? Qui devait se transmettre longtemps, d'où l'utilisation de monuments massifs et construits, je le rappelle, selon des normes antisismiques[116]?

A-t-on voulu marquer ou commémorer la fin de l'ère du Lion ? Un cataclysme ? Un renouveau, une nouvelle ère ? Nous informer d'un danger ou commémorer un évênement ? Protéger un savoir-faire ? Des secrets métaphysiques ? Dévoiler une Sagesse ? Montrer une maitrise des CMD ? La compréhension de la Loi Divine ?

Dès les années 1930 des fouilles auraient révélé l'existence de nombreuses **galeries souteraines,** présupposant un lieu caché d'intense activité : ce qui poussa certains à surenchérir sur la présence **de** monuments, salles, lacs, écoles initiatiques ainsi que d'artéfacts de haute technologie.

Cependant, des artéfacts de haute technologie existent réellement, que ce soit le disque de Sabu du Musée du Caire, les artéfacts de Petrie ou encore la machine d'Anticythère.

La **censure** draconienne **en 1930** sur le plateau de Gizeh est étonnante et fut appliquée à l'époque sur les rumeurs de découvertes des galeries souterraines, dont on peut encore voir cependant les entrées grillagées interdites au public.

116Selon un assemblage très disparate,plus souple, avec ajustement pierre sans mortier, beaucoup plus solide et résistant même aux séismes, l'histoire l' a démontré.

On peut aussi s'étonner de la censure durant un bon moment concernant les travaux de Bauval : Ces découvertes dérangeraient-elles ?

Plus tard, en 1988, le chef du Département Archéologique de l'Université du Caire, le **Dr Shaheen,** était interrogé par Marek Novak, délégué de la Pologne, qui le questionnait pour savoir si la pyramide de Khéops pourrait contenir de la **technologie extraterrestre.**

Le Dr Shaheen lui a répondu :*"Je ne peux pas confirmer ou nier, mais **il y a quelque chose à l'intérieur de la pyramide qui n'est pas de ce monde."***

Volonté de relancer le tourisme ? Réalité ? Mystère.

La poémique et les rumeurs ont été en tous les cas relancées, d'autant plus que revient en mémoire **le projet ISIS** (soviétique du KGB des années 50'S) qui aboutit semble-t-il, si l'on en croit les interviews des membres de l'équipe de 1961, à la découverte d'une momie extraterrestre vieille de 10500 ans (notez la synchronisation de la date) et la preuve prétendue de la présence d'autres salles et galeries sous la grande pyramide (cf les travaux de Viktor Ivanovich, Yuri Vladimir, Herman Alexeyev, Boris Timovev et la vidéo de la "tombe du visiteur").[117]

Dans ce cas pourquoi ne pas relire Hérodote, qui, à propos de la pyramide de Khéops à Gizeh, parle bien de souterrains et d'eau ?

117http://www.wikistrike.com/article-projet-70370498.html

HERODOTE (in Histoires Livre 2, § CXXVII) : "*Khéops, suivant ce que me dirent les égyptiens, régna cinquante ans. Étant mort, son frère Chéphren lui succéda et se conduisit comme son prédécesseur. Entre autres monuments, il fit aussi bâtir une pyramide : elle n'approche pas de la grandeur de celle de Chéops (je les ai mesurées toutes les deux) ; elle n'a ni édifices souterrains, ni canal qui y conduise les eaux du Nil ; au lieu que l'autre, où l'on dit qu'est* ***le tombeau de Chéops, se trouve dans une île****, et qu'elle est* ***environnée des eaux du Nil, qui s'y rendent par un canal construit à ce dessein.****"*

Pourquoi ne pas concentrer les fouilles vers le dessous au lieu de rechercher d'autres supposées galeries au dessus de la chambre dite du Roi ? Tout ceci entretien la polémique, notamment celle prétendant que les fouilles ont bien eu lieu en dessous, mais en grand secret, et la preuve avec le projet ISIS, d'où une probable fuite lors de l'interview de l'universitaire égyptien en 1988, le secret étant peut trop lourd à porter et les pressions trop appuyées.

Champollion-Figeac, le propre frère de Jean-François Champollion, a d'ailleurs précisé : «*Le Sphinx des pyramides a été étudié, le sable qui l'encombrait momentanément détourné, et il a été reconnu que ses colossales dimensions avaient permis de pratiquer entre le haut de ses jambes antérieures et son cou, une entrée qu'indiquent d'abord les montants d'une porte ; celle-ci conduisait à des galeries souterraines creusées dans le rocher sur une très grande distance, et enfin on se trouvait en communication avec la grande pyramide*".

Les pyramides de Gizeh ne sont bien sûr pas les seuls monuments orientés ; de nombreux autres monuments égyptiens sont orientés astronomiquement, par exemple le temple d' Amon-Râ à Karnak, et cela se retrouve dans de nombreuses autres civilisations, sinon toutes.

Mathieu Laveau, chercheur indépendant INREES, s'est également penché de nouveau récemment sur la question et a précisé certains points sur les relations géométriques et numériques entre la constellation d'Orion et les pyramides de Gizeh[118], de même que Georges Vermard, Andrew Collins, Rodney Hale.

Ses conclusions sont catégoriques et vont dans le même sens que les témoignages précédents sur la **grande pyramide de Gizeh** : Il est impossible de construire ce genre de monument en vingt ans, deux millions et demi de blocs de plusieurs tonnes chacun et de taille différente et parfaitement ajustés, pas de hiéroglyphes sur les parois, surtout avec des outils inadaptés, voire dérisoires.

Par ailleurs l'orientation est parfaite sur les **4 points cardinaux**, avec huit faces et non quatre.

Il faut en effet envisager la position de la grande pyramide d'un point de vue **géométrique et numérique** (je dirais même du point de vue des CMD)et en prenant compte son revètement.

Dès lors il existe pour lui un **lien** évident avec la **constellation d'Orion et** l'**étoile Sirius**.

118https://youtu.be/Y3UK5AlZDso

Il relève également la position très précise du Sphinx (plein Est) qu'il pointait à l'ére du Lion et non sous l'ancien empire.

Tout ceci nécessite en tous les cas des connaissances astronomiques plus qu'étonnantes pour une civilisation qui n'avait, officiellement, que l'oeil nu pour observer[119] et des possibilités de calculs supposés limités[120].

Si l'on regarde dans les détails le positionnement d'Orion à travers le cycle de précession des equinoxes, nous allons avoir des repères (on s'aide alors de logiciels).

Ainsi nous changeons d'ère tous les 2160 ans, à reculons sur le zodiaque (Lion, Cancer, Gémeaux, Taureau, Bélier, Poissons, et depuis fin 2016 Verse-eau...).

Par ailleurs, le pôle de l'époque ne pointait pas sur la grande ourse mais sur la constellation du Dragon.

Pour mathieu Laveau, lorsque l'on cherche le **point le plus bas de la constellation d'Orion** on tombe exactement sur...**10500 avant JC** (toujours cette même date qui revient).

A ce moment là, et uniquement à ce moment là, les **étoiles majeures** de la constellation sont **alignées selon le nombre d'or**, **Sirius** étant selon lui **en angle droit parfait** dans

---

119 L'ajout de lentilles grossissantes à main n'est cependant pas exclu.

120La connaissance du diamétre de la terre, de la lune, des distances terre-lune et terre-soleil, de pi, du mètre, de la vitesse lumière sont avérées selon lui par l'existence même des pyramides de gizeh et de leurs proportions.

son décalage avec les autres étoiles.

Par ailleurs, lorsque l'on observe les distances des 7 étoiles majeures d'Orion entre elles et qu'on les aditionne, on tombe sur 5236 années-lumières ; or, la **coudée** égyptienne utilisée pour la pyramide de Khéops est exactement de 0,5236 mètres !

Et si on ajoute un mètre à la coudée, cela fait une base de pyramide qui a la même hauteur que la grande pyramide[121] ; et cette hauteur marque aussi la **distance la plus courte terre-soleil**.

Pour Mathieu Leveau aussi, les égyptiens ont voulu nous démontrer à travers la géométrie et les nombres qu'**il existe un principe créateur**, qu'**il y a une harmonie dans la création et pas de hasard, permettant une prise de Conscience**, là est peut être le sens du message.

Le degré de précision, la multiplication des exemples, font que pour lui cela ne peut en aucun cas être un hasard.

On peut émettre alors la possibilité que les égyptiens souhaitaient véhiculer ce que l'on appelle la tradition primordiale ; et, en définitive, ce qui importe c'est que l'on dispose de données, de faits réels, de proportions, de chiffres qui parlent d'eux-mêmes,et que les pyramides sont bien là et réelles.

Autre fait surprenant, surtout si on les met en

121 or, inutile de rappeler que l'étalon-mètre était inconnu à cette époque !

perspective avec ce qui précède, est la liste des Pharaons :

Le papyrus de Turin et la pierre de Palerme

Le Papyrus de Turin est un ensemble de papyrus conservé au musée de Turin (Italie) qui contient notamment le «*Canon Royal de Turin ou papyrus des Rois*».

Il s'agit d'une liste des souverains, hélas en très mauvais état.

La liste indique non seulement une successions de Rois de genre humain mais aussi les premiers Rois...de nature divine.

Il semble que la liste complète devait contenir pas loin de trois cents noms de Pharaons, avec mentionnée la durée de chaque règne.

On peut dire que ceci est symbolique, mythologique ou une belle fable ; quoi qu'il en soit le texte très délabré est agencé sur onze colonnes, la première étant réservée aux...lignées divines, les *"Shemsou-Hor"*.

La seconde colonne comprend les Rois mythiques.

Puis vient la liste des dynasties de rois humains. en partant de la première dynastie jusqu'à la XVIIème incluse, et est conforme à la liste de Manéthon (ce qui renforce son authenticité).

Dans d'autres colonnes, par chance, vient un récapitulatif en terme de durée, le document comptabilise les années des règnes cumulées.

Or, on peut y lire : "***Vénérables Shemsou-Hor***[122] ***: 13 420 ans ; règnes avant les Shemsou-Hor : 23 200 ans, un total de 36 620 ans***" avant les dynasties classiques et une civilisation globale sur une période de plus de 40000 années.

Parmi ces pharaons figurent notamment Seth (200 ans de règne), Horus (300 ans) , Thot (3126 ans).

Manéthon, Hérodote, Diodore de Sicile, Flavius Josephe, Sextus Julius Africanus, Eusèbe de césarée, Syncellus, font mention de ces listes.

La pierre de Palerme ainsi que le fragment du Caire confirment bien l'existence de dynasties royales du nord et du sud antérieures à la 1ère dynastie de l'ancien empire.

On se dit, bien sûr, que ces listes ont été à coup sûr copieusement "embellies", mais l'histoire ne s'arrête pas là.

En effet, **l'archéologie a commencé à parler,** puisque **des tombes de Rois de** ce que les égyptologues ont dû se résigner à appeler **la "dynastie zéro"** (qui désigne pour eux tout ce qui est antérieur à la 1ère dynastie de l'ancien empire) **ont été retrouvées...et leurs noms correspondent** exactement **aux listes** des Rois des fragments retrouvés.

Dans ces conditions, pourquoi ne pas donner quitus à l'intégralité des listes?

---

122 Les suivants d'Horus

Voici la liste des **12 Rois de la dynastie "zéro"** : Horus (artéfacts découverts), Ny Hor (?), Hat-Hor (?), Pe-Hor (artéfacts découverts), Hedj-Hor (?), Iry-Ro(?), Iry-Hor (tombe découverte à Abydos), Horus-Ka, (tombe découverte à Abydos), Sobek (tombe découverte à Tarkhan), Scorpion 1 (tombe découverte à Abydos), Scorpion 2 (tombe découverte à Abydos).

Nous sommes déjà remontés à **-3800 av. JC**, soit **il y a plus de 5800 ans** !

Et regardez ce qu'ils construisaient déjà, on était bien loin encore de la préhistoire :

Reconstitution d'une tombe Royale à Tarkhan

A quand une dynastie "0-0", lorsque des nouvelles tombes ou artéfacts de pharaons encore antérieurs dans les listes seront découverts ? C'est fort possible car des milliers de tombes sont encore à découvrir dans ces secteurs datant de périodes où le Nord et le Sud guerroyaient entre eux.

Quoi qu'il en soit, la civilisation égyptienne, dont les débuts sont sans cesse répoussés à une date antérieure, pourrait bien être la plus vieille civilisation connue de l'humanité.

Et que dire de la soit disant "exception égyptienne" ?

Généralement une civilisation évolue par pallier ; or l'Egypte donne l'impression de sortir du sable (ou du Noun), tout à coup, telle le Lotus, avec son écriture, sa métaphysique, sa sagesse, ses lois, son savoir-faire mathématique, géométrique, astrologique et architectural clé en mains !

A la recherche d'une orientation magique

Puisque nous avons parlé d'astronomie, d'astrologie, et des questions d'orientation, notons que la symbolique astrologique, la symbolique de l'arbre de vie et celle de l'hermétisme sont riches en complémentarités, correspondances et enseignements :

A l'épreuve de la lune l'âme abandonne la puissance de croitre et de décroitre, à Mercure elle abandonne la malice, à Vénus l'illusion des désirs, au Soleil le pouvoir et l'ambition, à Mars la témérité présomptueuse, à Jupiter la richesse et à Saturne les mensonges.

La méthode analogique nous offre là un beau programme de méditation pour un "voyage retour".

La symbolique des solstices et équinoxes revêt aussi un intérêt certain pour qui s'intéresse de près à la magie pratique, la magie opérative.

En effet, non seulement ces signes ont une grande valeur symbolique concernant le devenir et le parcours de l'âme humaine, mais il furent aussi à l'origine de l'orientation des plus grands monuments égyptiens, ce qui leur attribue des correspondances aux 4 points cardinaux de l'espace, dès lors potentiellement transposables pour des rituels magiques.

Nous avons vu aussi plus haut à propos des couleurs que le noir a des correspondances avec l'obsidienne noire, le blanc avec le cristal de roche, le rouge avec la cornaline rouge ou le grenat (selon que le feu est Sethien ou Horien) et que le bleu-vert s'identifie avec la turquoise.

Faut-il dès lors s'orienter vers une direction solsticiale-équinoxiale pour aligner notre autel personnel ?

L'Egypte aussi, en matière d'astrologie, distingue **trois plans** comme en métaphysique pure : le **plan Divin-archétypal** (avec la constellation ou baudrier d'Orion), le **plan intermédiaire** (la barque solaire et la ceinture zodiacale qu'elle traverse à reculons en une année) et le **plan terrestre** de la manifestation (avec les "7 planètes errantes").

Ne faut il pas dès lors se pencher plutôt sur le baudrier d'Orion lui-même que sur le schéma zodiacal si l'on veut trouver une correspondance satisfaisante pour des points cardinaux applicables aux opérations magiques, c'est à dire conforme à la hiérarchie des influences égyptiennes ?

Or il se trouve qu'en en magie les quatre points cardinaux servent aussi de cercle de protection.[123]

Il faut donc trouver des protecteurs de haut niveau pour garantir la sécurité des opérations.

Par ailleurs, souvent l'opérateur est assimilé à Osiris, à Horus ou à Râ en magie égyptienne.

Nous pourrions alors peut être nous tourner vers la piste des "suivants d'Horus l'ancien" pour résoudre notre problème.

Déjà les textes des sarcophages mentionnent une information intéressante, notamment pour les familiers du *corpus hermeticum* : (Spell 1143) : "(Salut à Toi) ***Horus l'Ancien***, *qui est* ***au coeur des astres d'en-haut comme des astres d'en-bas***".

Nous sommes donc en présence d'une grande influence avec des effets à la fois dans le Ciel et sur la terre , un canal, une connexion.

Venons en aux "enfants" de cet Horus "ancien", surtout connus du public en tant que gardiens des vases canopes.

Fait très important, ces **suivants d'Horus sont l'émanation quadripartite** (c'est à dire les quatres émanations directes) **du Créateur.**[124]

123L'*ourouboros* est plus tardif
124TP 684

Ils sont précisement **l'expansion de l'Unité du principe créateur**, les quatres piliers du Ciel.

La correspondance qui vient à l'esprit est alors trop flagrante pour être ignorée : Cela rappelle en effet étrangement le Tétragramme sacré des hébreux avec le "nom en quatres lettres" c'est à dire YHWH, lui-même ternaire en Trois lettres (si l'on occulte le second Hé).[125]

Que demander de plus dans ces conditions comme protection ?

Ils protègent aussi le défunt, l'Osiris, sur le plan terrestre et veillent donc sur les vases canopes dont ils prennent l'apparence.

Bernard Mathieu[126] précise que **les enfants d'Horus "vivent de Maât" et portent le sceptre Ouas** (Was) ; ce sceptre Ouas qui, avec la Ankh, reprenant une tradition des Neterou, sont aussi utilisés en magie égyptienne.

Autres détails, ils aiment l'huile *Hatet* (**huile essentielle de pin**), les **figues** (rapport avec les fruits du sycomore sacré) et le **vin**[127] ; ce qui peut donner des idées d'offrandes.

Ces suivants d'Horus l'ancien ont pour nom *Amsit* (ou parfois Mestha), *Hâpy*, *Douamoutef* et *Qebehsenouf*.

---

125 Et alors la correspondance avec IAAOU saute aux yeux, sans oublier que dans l'absolu tout vient du IOD (la 1ère).

126In "les enfants d'Horus, théologie et astronomie" ENIM 1, 2008 p7-14

127L'Egypte est le pays de la bière, du moins jusqu'à l'époque gréco-romaine, le vin est réservé aux grands évènements.

Leurs correspondances à la fois avec des organes, des étoiles d'Orion , mais aussi avec des Neterou et les points cardinaux en font donc des candidats de premier ordr

Résumons tout ceci dans un tableau :

Enfant d'Horus	Étoile du baudrier d'Orion	Neter[128]	Point cardinal	Organe/Canope
Amsit(ou Mestha)	Saïph	**Aset** (Isis)	**SUD**	Foie
Hâpy	Beltegeuse	**Nebt-Het** (Nephtys)	**NORD**	Poumons
Douamoutef	Bellatrix	**Neit**	**EST**	Estomac
Qebehsenouf	Rigel	**Serqet**	**OUEST**	Intestins

Ce résultat apparait donc plus que satisfaisant.

128Selon l'artéfact de la tombe de Thoutankhamon

Essayons cependant d'explorer d'autres pistes et supposons à présent que les directions solsticiales et équinoxiales elles-mêmes peuvent candidater, ne serait-ce qu'en raison de leur importance dans l'orientation de certains temples et monuments, dont notre autel est finalement une mini-synthèse, nous remarquons tout d'abord que :

Le solstice d'hiver se trouve en Capricorne, le solstice d'été en Cancer (c'est l'axe).

De part et d'autres nous avons les équinoxes de printemps et d'automne, avec leurs deux autres signes cardinaux, le Bélier et la Balance.

L'embûche est alors de raisonner en occidental, c'est à dire d'avoir le réflexe de mettre rapidement en jeu des correspondances non égyptiennes, bien que la tradition primordiale met généralement les solstices sur l'axe nord-sud et les équinoxes sur l'axe est-ouest (Capricorne, Bélier, Cancer, Balance si on "tourne" vers la droite à partir du nord).

Ceci étant dit, le Cancer est un germe, une gestation, une (ré-)incarnation, le Capricorne une fin de mission, la Balance est synonyme de Justice, tandis que le Bélier est la force vitale au coeur de l'action.

Le Bélier se verra donc attribuer l'élément feu et le rouge martien, dynamisme vital exalté.

De même, le Cancer, étant une incarnation, une naissance, une renaissance, sera relié logiquement à l'élément eau : baptême, liquide amnyotique, lotus, kheper, sortie de Noun, purification.

La Balance a un rapport avec la Maât dans son aspect équilibre, harmonie, vérité et justice, la tradition occidentale la relie à l'élément air.

Le Capricorne est un signe de terre.

La symbolique solsticiale nous incline à tracer le Cancer et le Capricorne sur deux points d'une même droite.

Si l'on se détache du point de vue moderne, l'axe Capricorne-Cancer Est-Ouest est dès lors théoriquement envisageable, de même qu'un axe Nord-Sud, ce dernier plus conforme à la tradition.

Commençons tout d'abord par le CAS N°1, l'axe Est-Ouest :

On peut à présent tracer la croix des directions en ajoutant la Balance et le Bélier, donc dans ce cas la Balance passe au Nord et le Bélier au Sud (pour simple raison alors d'ordre calendaire).

Nous avons donc Aset (Isis) comme gardien de l'Est, pour l'Ouest Inpou (Anubis), pour le Nord Het-Her (Hathor) et pour le Sud Her (Horus).

TABLEAU CAS N°1 :

Evènement astro /direction	Direction (ocdt)	Qualités / Défauts (occdt)	Signe (occdt)	Couleur / Planète (Occdt)	Pierre/ élémet (Occident)	**Neter**
Equinoxe spring **SUD**	OUEST	Action / Colère	Bélier	Rouge/ Mars	cornaline/ feu	**Horus** (Her)
Solstice d' Eté/ **OUEST**	SUD	Incarnation/ Caprice	Cancer	Blanc/Lune	quartz/ eau	**Anubis** (Inpou)
Equinoxe Autumn **N**	EST	Après vie/Luxure	Balance	Bleu-vert/Vénus	turquoise/ air	**Hathor** (Het-Her)
Solstice d' Hiver/**EST**	NORD	Fin mission/ Egoïsme	Capricorne	Noir/Saturne	obsidienne/ terre	**Isis** (Aset)

Envisageons à présent le CAS N°2, l'axe Nord-Sud (Capricorne au Nord et Cancer au Sud) :

Dans ce cas nous avons la Balance à l'Ouest et le Bélier à l'Est.

Nous retrouvons de nouveau Aset (Isis) comme gardien de l'Est, pour l'Ouest Inpou (Anubis), pour le Nord Het-Her (Hathor) et pour le Sud Her (Horus).

TABLEAU CAS N°2 :

Evènement astro /direction	Direction (ocdt)	Qualités / Défauts (occdt)	Signe (occdt)	Couleur / Planète (Occdt)	Pierre/ élément (Occident)	**Neter**
Equinoxe Printemps **W**	OUEST	Action / Colère	Bélier	Rouge/ Mars	cornaline/ feu	**Anubis (**Inpou)
Solstice d' Eté/ **SUD**	SUD	Incarnation/ Caprice	Cancer	Blanc/Lune	quartz/ eau	**Horus (**Her)
Equinoxe Automn **EST**	EST	Après vie/Luxure	Balance	Bleu-vert/Vénus	turquoise/ air	**Isis (**Aset)
Solstice d' Hiver/**NORD**	NORD	Fin mission / Egoïsme	Capricorne	Noir/Saturne	obsidienne/ terre	**Hathor** (Het-Her)

Se poserait alors la question du choix entre ces deux cas (en "oubliant" nos reflexes occidentaux).

Or, en étudiant l'orientation des temples égyptiens pour

essayer de trancher nous constatons qu'elle ne nous sera pas vraiment utile.

En effet, les temples et édifices sont parfois orientés Nord-Sud, parfois ils suivent l'axe Est-Ouest et parfois sont orientés en fonction du lever héliaque de l'étoile Sirius de la constellation d'Orion.

Si l'on consulte nos traditions, l'axe Nord-Sud devrait bien entendu primer sur l'axe Est-Ouest, donc le cas n°2, mais cela ne semble pas assez net dans la tradition égyptienne.

C'est pourquoi, et en raison de tout ce qui précède, je préconise plutôt l'utilisation d'un système partant **des suivants d'Horus** (*shemsou-Hor*), avec **Isis (Aset) au Sud, Nephtys (Nebt-Het) au Nord, Neit (Neith) à l'Est et Serqet (Serket) à l'Ouest**, plutôt que le système solsticial, pourtant prometteur *apriori*.

Mentionnons toutefois une **autre piste très solide** : l'existence de "**quatres ouvertures du Ciel**", révélées par Thot (si l'on en croit la Rubrique du Chapitre 161 du livre pour sortir au jour) :

"L'ouverture du Nord appartient à Osiris, celle du vent Sud est commandée par Râ, la troisième, vent de l'Ouest, dépend d' Isis, la quatrième, vent de l'est obéit à Nephtys."

Neter protecteur	Direction/ ouverture/vent
Osiris (OUSER)	NORD
Nephtys (NEBT-HET)	EST
RÂ	SUD
Isis (ASET)	OUEST

Nous avons là un second système pertinent de protection complémentaire au précédent.

Au final de cette étude, nous pourrons donc utiliser valablement les deux systèmes d'orientation ci-dessous :

NORD	***SUD***	***EST***	***OUEST***
Nephtys (NEBT-HET)	Isis (ASET)	Neith (NEIT)	Serket (SERQET)
Osiris (OUSER)	RÂ	Nephtys (NEBT-HET)	Isis (ASET)

J'opterai pour ma part en faveur de la première formule avec NEBT-HET, ASET, NEIT et SERQET, en raison notamment de la symbolique métaphysique d'expansion de l'unité et des correspondances avec le baudrier d'Orion (vues précédemment dans l'étude détaillée de ce cas), mais l'autre proposition, issue d'un passage du LM, est bien entendue tout autant envisageable, bien qu'elle semble, à mon avis, moins générale, plus spécifique et contextuelle.

Un dernier **argument** complémentaire favorable à la première option du dernier tableau est mentionné dans le **Lubicz**[129], véritable "pépite" dont on n'a jamais vraiment fait le tour :

*"(...) Les diverses expressions du **principe féminin**, (...) ses **quatre grands aspects** sont figurés par les quatres déésses **ASET, NEBT-HET, NEIT et SERQET.***

Aset est le principe féminin de la nature,la passivité aggissante et la mère de l'existence.

Nebt-Het est la passivité négative de la féminité, qui provoquera la putréfaction et fera le digéreur Inpou (Anubis).

Neit (Neith) est la féminité spirituelle animatrice et Serqet (Serket) la féminité sexuelle".

Un **dessin de sarcophage** illustre ces propos avec ces Neterou aux quatres angles et Inpou au centre.

Il s'agit du **sarcophage de Thoutankhamon**[130] , plus exactement sa cuve, et les **quatres Neterou protecteurs** sont bien tous présents pour ce qui est de la chapelle des canopes, et donc aussi **en lien avec les "suivants d'Horus"**.

Enfin, très récemment **Isabelle Régen**[131] confirme encore que"***Isis, Selkis*** (nom Grec de Srq-t), ***Neith et Nephtys***

129*In* "Her Bak disciple" Champ flammarion 1956 p 187-188
130Décidemment...je suis poursuivi ...!!!
131In "Quand Isis met à mort Apophis" Cahiers de l'ENIM (2015) p 247-271

officient ensemble depuis les textes des pyramides comme les déesses protectrices d'Osiris."

CHAPITRE SECOND : L'INITIATION ET LES ECOLES INITIATIQUES

Autre grande question : Existait-il dans l'Egypte pharaonique des écoles initiatiques ?

Oui, selon Hérodote : "*On parlait beaucoup parmi les Hellènes des mystères de l'Egypte, cette source fabuleusement antique de toutes les initiations*" II, 171 (qui, refusant de trahir certaines informations secrètes, semble avoir reçu un certain niveau d'initiation, mais pas tous (cf. Histoire de l'Egypte II,148&171)).

Selon Plutarque aussi (dans son traité d'Isis et d'Osiris), mais il s'agit là d'une initiation exportée tardivement chez les Grec à Delphes ; donc un examen avec un certain recul s'impose afin d'en jauger la qualité.

Il est important à ce propos de **ne pas confondre les "mystères", fête populaire ouverte à tous, avec une initiation, qui est une cérémonie privée dans un lieu retiré,** à l'abri du regard et de la liesse publique.

Le mot "mystère" prète donc à confusion et est inadapté : Les mystères n'ont rien de mystérieux, en tous cas rien de secret[132], tandis que l'initiation, elle, renferme des secrets mais intransmissibles en tant que tels (et dès lors inviolables) puisqu'il s'agit d'un **ressenti** individuel, du **réveil** de quelque chose d'endormi au fond de soi et qu'il convient de stimuler ; quelque chose de fort, de personnel, d'**intérieur**, mais dès lors **intraduisible par des mots et donc inviolable car incommunicable directement**.[133]

Ces deux sources, d'Hérodote et de Plutarque, sont au final de faible intérêt dans la mesure où il y a "grecquisation" des noms et symboles et considérant aussi le fait que les égyptiens initiaient encore plus rarement à l'époque grecque qu'auparavant, surtout concernant les "grands mystères".

---

132 Il s'agissait d'une sorte de pièce de théâtre avec des scènettes à la vue de tous

133Le secret est dans le coeur de l'initié cf. M. Guilmot in "Les initiés et les rites initiatiques" R. LAFFONT (1977)

Par ailleurs, à part peut être **Pythagore**, les Grecs de retour chez eux qui ont prétendu être initiés ne l'étaient en fait qu'en partie[134], mais assez pour impressionner et influencer leurs concitoyens.

Ce que l'on a appelé parfois les "petits mystères" et les "grands mystères" n'ont pas une différence de nature mais simplement de degré initiatique.

Les premiers préparant aux seconds, dans une progression naturelle : il convient en effet tout d'abord de restaurer l'état primordial en soi pour pouvoir ensuite réaliser, gravir les états supra-humains, dont le terme est la délivrance finale[135], le but de l'initiation, l'identité suprême[136].

Cette entrée en matière à présent faite, reprenons ensemble si vous le voulez bien les choses par leur début :

Qu'est ce qu'une initiation ?

L'initiation est un rite social commun à toutes les civilisations, car il résulte d'un besoin profond en l'homme, d'un besoin instinctif, intuitif.

Ainsi, **il existe des étapes initiatiques universelles,**

134Aux "petits mystères" donc (mais non aux "grands mystères").

135R.Guénon in "aperçus sur l'initiation".

136Cf infra ma proposition d'identifier les petits mystères avec l'initiation d'Osiris-Thot & les grands avec la voie d'Horus-Râ, pour lesquels nous trouverons des informations tout au long de l'ouvrage.

que l'on retrouve en tous temps et en tous lieux et qui permettent d'identifier si l'on est en présence d'initiation ou non, selon que les conditions sont ou non présentes et respectées.

On doit dès lors pouvoir logiquement retrouver aussi la même structure chez les égyptiens antiques, individus par ailleurs particulièrement friands de magie et de Sagesse.

La double difficulté sera que la chose étant secrète, dès lors les mentions explicites sur des monuments, statuaires, bas-reliefs, papyrus, sarcophages demeureront *apriori* relativement rares, et l'ancienneté de la civilisation fera que certains témoignages auront été détruits, éparpillés, dégradés, par le temps et les hommes ou non encore découverts.

Enfin nous sommes face à une troisième difficulté : En présence de tels faits, certains égyptologues, non formés à identifier une mention initiatique, prendront le texte pour un banal rituel exclusif aux défunts dans leur travail de traduction et mettront de coté le document, pourtant exceptionnel, si toutefois on l'examinait sous un tout autre angle ; c'est donc une enquête minutieuse qu'il faut mener dans ce contexte.

Mais quelles sont les conditions de la présence de "faits initiatiques" ?

Une descente vivant dans la terre, l'acceptation d'épreuves, un guide, une déambulation, une mort initiatique, une résurrection et la vision fulgurante d'un symbole Divin, une purification par l'eau, par le feu, un changement de nom, de titre et de vêtements, l'accueil chaleureux de la confrérie et l'instruction par des symboles montrés et par une gestuelle.

Pour Max Guilmot[137], les trois phases majeures de l'initiation (à propos de celle d'Abydos dans l'Osiréion) sont la **justification**, la **régénération** et l'**illumination** (cf. papyrus Leiden T32).

Pour René Guénon[138] expert en Tradition primordiale, une initiation nécessite trois conditions cumulatives : la **qualification**, la **trasmission** et le **travail intérieur**.

La qualification peut se traduire par la présence d'un individu qui a des qualités compatibles, certaines aptitudes, qui est donc potentielement qualifié ; d'où l'initiabilité de personnes en nombre finalement restreint comparé à une population locale globale donnée.

La transmission exige l'existence d'une organisation traditionnelle et régulière, c'est à dire formée elle-même d'initiés par une chaîne ininterrompue, et donc elle-même qualifiée, plus précisément dotée d'une influence spirituelle véritable, authentique,"non-humaine"[139], à laquelle sera rattaché le nouvel initié.

Le travail intérieur implique un travail continue du profane (préparation) puis de l'adepte, qui perdure

137op. cit.

138Aperçus sur l'initiation (1946) p23

139 Faisant intervenir des rites et symboles provenant de ce qu'il nomme la "Tradition primordiale", c'est à dire la transmission d' une métaphysique pure et consensuelle désignant une seule et même Vérité révélée aux civilisations les plus anciennes et donc à l'humanité toute entière dont la Source est elle-même "immémoriale".

parallèlement au **gravissement de divers degrés** lors d'épreuves et cérémonies de **passage** ; ceci afin de passer d'une initiation virtuelle à une initiation effective, ce qui suppose un travail continu sur soi, amenant à des transformations intérieures successives, mais aussi avec l'aide d'instructeurs-aiguillons et de guides attitrés et qualifiés.

Pour Rudolf Steiner, le processus initiatique nécessite une préparation rigoureuse, qui permet de recevoir et recueillir le fruit patiemment (ou fulgurant) de l'illumination, dont l'initiation symbolique n'est sans cela que virtuelle, rejoignant sur ce point René Guénon.

C'est à ce prix que les dons internes apparaissent et que surgit à l'intérieur de Soi le Verbe ; mais un guide est nécessaire pour progresser sur cette *terra incognita* sous peine de chute et d'échec, d'où l'idée d'ordres ou de confréries initiatiques.

La vérité jaillit des profondeurs de l'âme ; cela passe par le calme, la paix en soi, le silence intérieur, et l'observation pénétrante de l'extérieur, sans illusion, afin de développer les vertus, car **pour acquérir les certitudes du coeur il faut cesser d'écouter son égo et être armé de patience et de sincérité** (on ne peut pas tricher).

Il faut veiller à la fois à sa santé physique et spirituelle, avoir conscience d'être un maillon de la chaîne universelle, c'est à dire que ses actions n'ont pas qu'une importance pour soi mais raisonnent dans l'univers tout entier, d'où l'importance de faire un moteur du joyau qui réside et sommeille au plus profond de son être intérieur.

Il faut exprimer **l'amour altruiste et la gratitude**, **la persévérance, la patience, la tolérance, l'humilité, la responsabilité, la dévotion** et **mettre en adéquation ses pensées, ses paroles et ses actions** : alors le désir de délivrance sera satisfait et la Connaissance immédiate de son Soi supérieur bientôt effective.

Pour franchir "*le second gardien du seuil*", le don de soi et l'application de ce qui est acquis pour aider son prochain est nécessaire.

Pour Christian Jacq des rites initiatiques existaient bien à l'époque pharaonique lors des fêtes religieuses dans le secret des temples à la nuit tombée.

Un **texte** égyptien de la **XIIème dynastie** (cf F.L Griffith 1889) donne une première piste :

"***Suivre le Neter jusqu'à sa place, dans son tombeau qui se trouve à l'entrée de la grotte*** *; Anubis sanctifie le mystère caché d'Osiris (dans) la sainte vallée du maître de la vie :* ***(C'est) l'initiation*** *mystérieuse du maître d'Abydos.* "

La tombe d'**Amenhotep Si-Se** à Gournah[140], second prètre d'Amon sous le règne du pharaon Thoutmosis IV (XVIIIème dynastie -1400 av JC), bien que très dégradée, fournit d'autres précieuses informations sur une inscription murale illustrant une procession à Karnak :

140 Près de Louxor dans la vallée des Nobles (TT75) ; ce n'est pas l'Amenhotep des colosses de Memnon (lui fils de Hapou et de Itou).

"Je fus nommé second prophète d'Amon,

et je pus contempler la sainteté du maître des Neterou

(...)j'ai connu tout mystère

et devant moi chaque porte s'ouvrit

pour me laisser apercevoir (révéler WN-HR) la statue du Dieu".

Il s'agit d'un témoignage à propos de sa cérémonie d'initiation permettant l'accès à cette prestigieuse fonction.

Ainsi, l'initiation était réservée à des personnes choisies mais aussi à la prise de fonction de certains prêtres de grade élevé.

La **statue-cube**[141] **de Hor**, prètre d'Amon à Karnak (XXIIIème dynastie -775 av JC Neues museum Berlin) apporte encore plus de détails sur son initiation :

"(...) ***Je fus introduit*** *(BS initié)* ***dans le Temple,***

J'ai gardé le secret,

Je suis sorti de Noun *y laissant mes souillures*[142]

Et ***j'ai atteint la pûreté****,*

141Forme statuaire se prètant au gravage de hiéroglyphes sur une grande surface.

142Mention d'une purification par un bain aqueux

*Puis j'ai **fait mon entrée en présence de Dieu**,*

Dans le lieu sacro-saint".

Nous avons là tous les éléments d'une cérémonie initiatique authentique : introduction, secrets, bain rituel, ouverture des porte, mise en présence avec le Neter.

Cependant, le texte à ce jour retrouvé donnant le plus de détails sur les différentes phases d'une cérémonie initiatique égyptienne est sans conteste celui du **Papyrus de Leiden T32**.

Ce texte est capital puisqu'il **narre dans les détails** les **trois initiations successives** d'un prêtre d'Amon nommé **Horsiésis**, dans les sanctuaires d'Abydos, de Busiris puis de Karnak !

(en voici de larges extraits probants) :

*"A toi est apportée la **couronne de fleurs**,*

du Maître de l'occident

présentée en offrande d'Osiris,

juste de voix.

Les deux battants du grand portail

s'ouvrent pour t'accueillir.

***Anubis**, le Neter sur sa montagne,*

***n'écarta point ton bras**,*

et tu gravis les tertres saints.

***Tu entres dans les sanctuaires** ;*

*dans les chapelles tu **déambules**.*

Ta route ensuite tu poursuis,

vers la nécropole.

Tu allonges le pas dans la terre des morts.

Tu entres dans la terre ; elle s'entrouve pour toi.

*Tu parviens dans le **hall souterrain,***

***sous les arbres sacrés**.*

***Près d'Osiris**, qui dort en son sépulcre, **tu es arrivé**.*

C'est celui qui est sur son lit funèbre,

*et dans ce saint lieu **on t'accorde alors le titre de justifié**".*

*"**Ton corps est purifié** dans le bassin sacré d'Heqet.*

Pour toi s'ouvrent les portes de l'horizon de l'autre monde.

Dans la paix tu atteins le saint lieu d'Osiris !

<u>Tu passes la nuit,</u>

<u>et tu dors</u> dans l'endroit réservé aux mystères. *"*

"Tu atteins la ville de Busiris,

tu parviens à la nécropole.

Tu marches sur la grande esplanade,

et passe le portail principal.

Librement tu chemines

dans le domaine du silence,

et te diriges vers le lieu convenu.

Tu franchis le portail d'Osiris

et traverses la salle des deux Maât.

Les serviteurs te laissent avancer,

afin que ***tu voies le Neter***.

Les guides t'introduisent *dans le lieu sacré.*

A Maât tu es initié.

Tu donnes le baiser à Osiris couché,

dans la grande Maison d'or.

Tu es le bienvenu !"

"A Thèbes tu séjournes,

dans le sanctuaire d'Amon,

accompagné des prêtres.

Tu écoutes la voix et la musique de l'aveugle harpiste,

tu descends l'escalier et découvre la chambre funéraire,

***d'Osiris** en son suaire.*

***On n'écarte point ton bras** ni ne retourne tes pas,*

partout dans l'enceinte de Karnak."

Tous les éléments d'une initiation sont donc ici présents, et, s'il était besoin de le préciser, le fait de déambuler et de se rendre dans plusieurs villes successivement puis de dormir dans une chambre sur place prouvent encore qu'il s'agit du parcours d'un humain bien vivant sur le plan terrestre et biologique et non d'un défunt.

On remarque alors que de nombreux éléments, symboles, objets et titres sont utilisés communement tant pour les défunts que pour les initiés ; c'est d'ailleurs pourquoi de nombreux égyptologues traducteurs n'ont parfois pas saisi la nuance et ont pensé à tort être en présence d'un texte nécrologique de plus.[143]

Les archéologues-égyptologues ont donc quand même eu la main heureuse.

L'initiation était en effet tellement secrète que les rituels s'apprenaient généralement par coeur et ne s'écrivaient pas, mais s'exécutaient.

L'utilisation de termes, symboles, noms, titres,.., communs dans le T32 pour les initiés et les défunts, ainsi que dans d'autres textes du **corpus** textes des pyramides, textes des sarcophages et livre des morts, peut permettre d'énoncer le théorème selon lequel **tout ce qui y est dit à propos du défunt ne concerne pas seulement le défunt mais est aussi applicable au fait initiatique.**

A ce propos citons le **LM (Chap 190)** : "***Ce livre révèle les secrets des demeures mystérieuses et sert de guide d'initiation aux mystères du Monde Inférieur***".

Considérant qu'une initiation se déroule généralement en **trois étapes** :

143 Cf la polémique *supra* à propos des traductions.

1° Un rite de **séparation** d'avec le monde profane (lieu consacré, isolement, purifications).

2° Une **cérémonie** avec **mort symbolique**, **puis épreuves** physiques. Et à la fin du voyage symbolique, l'initié triomphe grâce à des aides et à la **transmission d'un savoir secret**, **voit Dieu** et acquiert ainsi l'immortalité spirituelle.

3° Un **rite d'agrégation**, une nouvelle vie, l'initié se voit communiquer des signes, mots, secrets, noms, liés à son nouveau statut.

Il en résulte que **le livre des morts (et ses prédecesseurs les textes des pyramides et les textes des sarcophages)** semblent bien être des livres initiatiques, par une lecture à plusieurs niveaux.[144]

Je cite donc ici **Jan Assmann** : ***"Le jugement des morts est surtout un rite d'initiation*** *d'après le modèle de l'initiation sacerdotale (...) On conduit le novice à travers diverses épreuves (...) Anubis est régulièrement représenté chargé de cette tâche".*

Seuls quelques prêtres de haut niveau semble-t-il avaient le pouvoir d'initier des profanes.

Ils initiaient principalement des prêtres de haut rang à leur tour, des haut-dignitaires et quelques éléments exceptionnels extérieurs choisis ou recommandés.

144 Dans ce sens, parmi de nombreux auteurs, cf Jan Assmann in "Maât, l'Egypte pharaonique " p 82

Cette rareté initiale dans le recrutement semble s'être accrue avec la fin de l'indépendance de l'Egypte qui précipita sa fin.

Cecit dit, examinons à présent les pistes Platoniciennes car :"*Platon, Pythagore et Démocrite, ont reçu l'enseignement sacré*" nous dit Jamblique.

Pour ce qui est de Pythagore, nous disposons de certains détails : "Selon Proclos, Pythagore aurait été initié par Aglaophamos"[145].

Platon serait venu plusieurs années (vraisemblablement 3 ans) à Héliopolis avec Eudoxe (cité par Strabon XVII,29 ; Diodore de Sicile I,98, quoique la présence de ce disciple ne soit pas certaine).

Nous avons déjà évoqué Hérodote plus haut, nous n'y reviendrons donc pas.

Apulée, néo-platonicien dans "les métamorphoses" (ou l'âne d'or) décrit sa propre initiation aux mystères d' Isis.

Cependant celle-ci se déroule en Grèce au IIième siècle de notre ère et semble romancée bien que les détails soient corrects, dans le sens de conformité avec les conditions d'une authentique initiation, preuve qu'il était au moins "informé".

Pour conclure à propos des Néo-Platoniciens, certains aspects de l'initiation égyptienne leur ont sûrement été révélés,

---

145Poimandrès p27 ainsi que le paragraphe *supra* relatif à Pythagore.

si l'on s'en réfère aux idées qu'ils ont propagées ensuite et les temples égyptiens que leurs membres éminents ont fréquenté directement ou par l'intermédiaire du haut-clergé, ou au contact de hiérogrammates dans les maison de vie et les bibliothèques.

Cependant, pour les raisons précédement évoquées, leur connaissance du sujet semble partielle et parfois confuse et mélée d'éléments hellénistiques disparates : Il faut donc certainement en conclure que leurs initiations avaient été probablement limitées aux petits mystères, sauf peut être pour Pythagore.

Symboles égyptiens et initiation :

INVOLUTION ET EVOLUTION

Osiris (et par extension Horus son fils) et Seth représentent les deux grandes forces opposées, ou plutôt complémentaires, mais nécessaires à toute manifestation (**force d'involution et force d'évolution**).

La première force est synonyme de **descente**, l'Esprit s'enfonce dans la matière, c'est l'incarnation, la seconde de **montée**, d'**éveil**, de Conscience croissante, de retour à l'Esprit, de dépassement du moi et de l'illusion dualitaire.

En l'homme le combat se déroule entre les sollicitations du corps essayant de le plonger plus profondément dans la matière (Seth) et les sollicitations de l'intellect, l'intuition, appelant à élever et spiritualiser l'être tout entier (Lune et surtout Soleil).

C'est symbolisé par ce combat où Seth gagne d'abord contre Osiris, puis perd ensuite contre Horus avec l'aide notamment d'Anubis, de Thot et d' Isis (purification, magie, épreuves).

Il en est ainsi car l'involution dans la création précède l'évolution : Afin qu'Osiris ressuscite il faut qu'il soit tué par Seth.

On retrouve ces deux forces issues de l'unité partout : Par exemple dans le concept de *yin-yang* chinois où le masculin est yang le féminin yin, le ciel yang (essence) et la terre yin (substance), plus envisagés comme complémentaires qu'en stricte opposition, insistons sur ce point.

Il y a d'abord un **désir d'incarnation, d'exister, d'être sur le plan physique**, puis recherche des processus afin de se construire une apparence narcissique et enfin l'appropriation de la substance pour passer à sa réalisation concrète.

Ensuite il y a une prise de conscience progressive née du désir de l'âme d'avoir sa place et, dans le processus d'expérimentation en incarnation, **d'immerger** peu à peu puis reprendre le leadership.

Cela se fait en général très lentement car l'âme est d'abord emportée par la gravitation involutive, jusqu' à la **crise d'identité**, la conscience des limites-prisons et par réaction le renversement du sens dynamique qui devient alors évolutif, ascensionnel.

La force, l'intensité qualitative de la poussée, revêt alors une grande importance, car elle détermine la rapidité de la progression à venir.

Des valeurs éthiques sont assimilées, puis mises en pratique, le **qualitatif** est recherché en lieu et place du quantitatif, les désirs sont transmutés, les désirs matériels s'estompent car l'âme, l'être, prend le dessus sur l'avoir et le centre, le **coeur** est peu à peu trouvé en nous.

Puis le désir devient unique, se focalise en celui de **se fondre** dans le grand Tout, de passer de l'individuel à l'universel.

Ce processus vertical aboutit in fine à la réintégration, à la **fusion avec l'Unité, la Source, mais en pleine possession du Soi**, ce qui a pour effet de mettre un terme au processus d'incarnations non désirés par la venue du "fils de Dieu" (Horus).

Cette **quête de son propre centre,** enfoui au fond du coeur, dans le plus profond de la terre, est ce que l'on appelle les **petits mystères**, le premier grand pallier de l'initiation.

Cette **soif d'amour altruiste et** cette **recherche de l'universel**, est la seconde quête, qui mène quant à elle aux **grands mystères**.

GRANDS ET PETITS MYSTERES

Ainsi, **les petits mystères se rapportent à tout ce qui touche au développement des possibilités de l'état humain** (cf notamment Guénon) et aboutissent à la perfection de cet état, la restauration de "l'état primordial."

Les grands mystères conduisent à la réalisation des états "supra-humain", supra individuels, chemin de la délivrance finale, qui se confond alors *in fine* avec l'identité suprème.

Cela se matérialise géométriquement avec la **croix**, branche horizontale et verticale qui se coupent, mais aussi avec le **carré et** le **cercle**.

D'ailleurs ce symbolisme de la croix est universel et transparait même dans le *Vêda* où *rajas* est la ligne horizontale (impulsion), *tamas* la partie inférieure de la ligne verticale (ignorance) et *sattwa* sa partie supérieure (la Connaissance).

Insistons sur le fait que **seul le point central de l'homme communique directement avec ces états supérieurs.**

C'est pourquoi il faut d'abord trouver son centre, afin de pouvoir s'élever ensuite (symbole de l'axe, de l'arbre, de l'échelle, ...).

La tradition hindoue parle des voies "bhaktique" et "karmique" pour les petits mystères, et de voie "Jnânique" (*Sattwa*) pour les grands mystères.

L'initiation aux petits mystères et aux grands mystères comprend plusieurs degrés qui varient en nombre selon les ordres initiatiques traditionnels.

A propos du passage de l'état humain à celui de supra-humain, je mentionnerai ici l'importance de la **notion de renversement**.

En effet, celle-ci est fondamentale dans la mesure où **le centre change du point de vue des grands mystères.**

Alors que dans les petits mystères le centre était préalablement en l'homme en son coeur, **le centre se déplace** dans le cadre des grands mystères et **la terre devient alors périphérique, extérieure.**

C'est en effet à présent le Ciel qui est le centre lui-même, le centre qui contient tout et qui n'est pas situé, localisé (car immatériel).

Ainsi, le corrolaire est donc que le point le plus haut a nécessairement son reflet au point le plus bas.[146]

Le symbole de la descente au royaume des morts en début de parcours initiatique joue un rôle purificateur et rectifie, dissout, les centres d'intérêt inférieurs de l'être.

Ce qui fait notamment dire à René Guénon :

"*Prendre une direction descendante à partir de l'état humain ne peut relever que du domaine de la contre-initiation*"[147] ; en effet, l'exaltation de nos bas instincts, de "la bête", de l'animal, est le contraire de l'effet recherché ici ("être justifié au regard de la Maât").

146 Ce qui est en haut est comme ce qui est en bas

147Allusion au satanisme et autres branches liées à la main gauche (in "*initiation et réalisation spirituelle*" p 210).

Au passage, il est donc faux de dire que les égyptiens ne différenciaient pas la magie blanche de la magie noire ; au contraire, ils condamnaient cette dernière car non conforme à la Maât.

L'état obtenu par le cheminement dans la voie des grands mystères est celui du rayonnement solaire (Râ-Maât, et Horus-Râ donc Horus-Maât).

Cet évènement n'est pas du tout égoiste puisque, bien au contraire, **il n'y a plus d'égo**, d'individualité, de Moi, de barrière entre l'extérieur et l'intérieur, il n'y a plus de dualité, l'Unité est restaurée, retrouvée par fusion avec la Source.

Dès lors, les incarnations terrestres sont superfétatoires, optionnelles pour aider, guider autrui (origine des fameux "guides ascensionnés").

La redescente corporelle, pour un être ainsi pleinement réalisé, revet donc un aspect "sacrificiel" (dont le symbole ultime est Jésus-Christ dans la Tradition chrétienne et la Cabale).

Le symbole du lotus est très instructif : le Lotus bleu s'ouvre aux rayons du soleil, puis se ferme et s'enfonce dans l'eau avant de réapparaître le lendemain, tandis que le lotus blanc s'épanouit la nuit.

L'aspect diurne, Horien et solaire du premier, nocturne, Osirien et lunaire du second ne vous aura pas échappé.

Par ailleurs, la réalisation ou expression de la Volonté du Ciel est souvent symbolisée par l'émergence à la surface des eaux d'une fleur, qui peut être le lotus (comme en Egypte et une grande partie de l'Orient), mais aussi par exemple une rose (comme c'est souvent le cas en occident).

On dit aussi que Maât est fille de Râ ; elle représente entre autre de ce point de vue l'âme universelle, (l'âme macrocosmique) dont chacun de nous a gardé un lien qu'il convient de réactiver[148], un canal, un pont avec l'âme humaine (plan microcosmique),

L'ANGLE ALCHIMIQUE

La racine du mot alchimie contient *K-m-t (*Kemet), la (terre) noire, c'est à dire l'Egypte (qui reçoit du Nil chaque année le limon fertilisant).

L'alchimie recouvre l'ensemble des pratiques et spéculations en rapport avec la transmutation, la transformation, des métaux ou d'autres composants, mais sa branche initiatique pour l'homme est celle qui va nous intéresser ici, car elle recèle de nombreux symboles qui donnent un autre angle de vue par raisonnement analogique.

Un de ses objectifs est "le grand oeuvre", la pierre philosophale, qui transforme les métaux "vils" en métaux "nobles".

La formule "solve et coagula" renferme les secrets du

148 Devenir aussi transparant qu'un quartz afin que le rayon de Maât puisse entrer et communiquer

grand oeuvre : Elle désigne les courants descendant et ascendant de la force cosmique, force de concentration et force d'expansion (on pourrait aussi dire *yin-yang* qui modèle les *"dix mille êtres",* les deux uraeus autour du globe,...etc*).*

L'expansion est yang tandis que la contraction est yin et dès lors la transmutation s'entend comme dissoudre ce qui est coagulé ou coaguler ce qui est dissout, aspects complémentaires d'une même opération.

On rencontre parfois aussi, dans le même sens, les expressions "dissolution du corps et fixation de l'esprit", "volatiliser le fixe et fixer le volatil", ainsi que "spiritualiser le corps et corporiser l'esprit".

On retrouve ici ce concept de renversement initiatique, de retournement, que l'on rencontre aussi par exemple dans la kabbale hébraïque sous la terme "déplacement des lumières".

"L'oeuvre au blanc" correspond aux petits mystères et "l'oeuvre au rouge" aux grands mystères.

Le principe ternaire alchimique "soufre, mercure, sel" correspond exactement avec le concept *Spiritus, anima, corpus* (esprit, âme, corps).

Le soufre est actif, expansif et synonyme de la volonté du Ciel tandis que le mercure est passif, compressif , les deux étant complémentaires.

Le sel représente la neutralité, l'équilibre, la

cristallisation, le carré-cube, la stabilité.[149]

Le soufre est un rayon lumineux tandis que le mercure est sa réflexion, son miroir, et en ce sens le premier est Spirituel et le second animique, le sel étant alors un cristal, point de stabilité, de communication et d'ouverture vers la Lumière permettant la montée verticale des grands mystères par le rayon lumineux.

Cette fonction de médiateur se retrouve partout, notamment dans le sceau de Salomon des hébreux avec les deux triangles enlacés ou alors chez le Maître maçon placé entre le compas (cercle) et l'équerre (carré) comme symbole de l'initié qui a réalisé les petits mystères[150].

Les quatre éléments feu, air, eau, terre se retrouvent aussi dans l'alchimie, et découlent de l'Ether, le cinquième, la quinte-essence (quintessence) dont ils émanent tous.

L'Esprit est assimilé à l'éther, dans la trinité Esprit-Ame-Corps et l'espace-temps est alors comme une matrice, au plan microcosmique, qui permet à l'Esprit de pouvoir prendre Conscience (de sa quintessence).

Hermès-Trismégiste (Thot) est le fondateur mythique de cette science traditionnelle, l'alchimie, qui établit un dialogue avec l'invisible, apprend à connaitre les lois de la matière et rétablit le lien avec l'Esprit.

149 Que l'on retrouve chez les égyptiens par le concept de Seth vaincu, peut alors reprendre place dans la barque.

150D'où ici la justification de l'existence de "hauts grades" afin d'essayer d'aller plus loin, plus haut., dans l'axe.

Le travail alchimique du " Grand Œuvre " ou *Secretum Secretorum* ("Secret des Secrets") distingue généralement[151] sept étapes réparties en trois catégories que l'on associe à des couleurs :

L'oeuvre au noir (*Nigredo*) comprend les phases de distillation, calcination, putréfaction, dissolution.

L'oeuvre au blanc (*Albedo)* comprend la coagulation et la vivification.

Et enfin l'oeuvre au rouge (*Rubedo)* consiste en la multiplication ou projection.

De ce point de vue, l'initiation aux petits mystères est une oeuvre au blanc sous les auspices de la lune, Osirienne donc, tandis que celle aux grands mystères est une oeuvre au rouge, solaire, la voie d'Horus-Râ, l'oeuvre au noir étant alors quant à elle sous les auspices de Saturne.

Un autre point important est la portée du nom V.I.T.R.I.O.L, c'est à dire "*Visita Interiora Terrae, Rectificando Invenies Occultum Lapidem"* (" Visite l'intérieur de la terre et, en rectifiant, tu trouveras la pierre cachée").

Il est indéniable que cette "pierre cachée", occulte, est au **coeur**, au centre de l'humain ; les circonstances de sa découverte, par exemple en maçonnerie, dans le "cabinet de réflexion" où le récipiendaire est laissé "seul face à lui-même" dans une petite pièce pour méditer, réfléchir, ou comme un enfant en gestation dans le ventre de sa mère, un lotus, amènent

151Parfois une oeuvre au jaune, *citrinas,* vient s'intercaller entre la blanche et la rouge.

à l'affirmer.

Si par ailleurs on examine l'importance du sable comme matériau utilisé, il se trouve que le cristal est de la silice, du sable de silice et comme pour réaliser du verre ce sable doit être chauffé.

On retrouve donc le symbole, à travers les transmutations survenues par l'oeuvre alchimiste (sur soi-même en fait) du cristal et du miroir, du miroir de cristal.

L'initié, devenu transparent lui-même peut donc enfin recevoir la Lumière Divine, une fois "rectifié".

"Pierre de vérité est ton nom" (livre des respirations)

L'œuvre alchimique, tout comme l'enseignaient les initiateurs égyptiens, vise à la fois à "spiritualiser la matière" et à "matérialiser l'Esprit"(la vie étant la manifestation de l'Esprit dans la matière).

Ainsi l'âme devient réceptrice à l'Esprit, le point de rencontre étant convenu et identifié :

"*Ton coeur est le coeur de Râ* "(livre des respirations).

L'initiation lunaire des petits mystères se fait sous le patronnage de Thot et d'Anubis, qui servent de guides aux mystères du monde inférieur.

Les kabbalistes diraient qu'il faut passer par la phase

astrale et déchirer un premier voile avant d'atteindre la pleine Lumière qui ne s'atteindra qu'en déchirant celui qui nous coupe de Daath.

Ainsi, il faut passer par Yesod avant de rencontrer Tiféreth puis Daat, la correspondance avec la remontée de l'arbre de vie est claire (cf mon arbre du sycomore *supra*).

Cette première rencontre est symbolisée par l'isolement, la crypte puis une mort rituelle (assassinat d'osiris), une mort à la vie profane et la gestation, le tissage, et la naissance à la vie spirituelle, avec un parcours semé d'embuches, parfois identifiée à un labyrinthe.

Mais grâce à ses guides l'initié ou le défunt trouve son centre en abandonnant, en renonçant, à tous ses éléments périssables ou futiles, à l'égo (sa noirceur est blanchie) : l'âme est rénovée, purifiée, c'est la première grande étape du processus de réintégration.

La phase solaire des grands mystères est la voie d'Horus, l'Horus victorieux, qui permet à l'adepte d'atteindre un niveau d'autonomie et des états inédits, car sa Conscience, en évoluant à présent sur l'axe vertical, a retrouvé le rayon de Râ et a ainsi accès à tous les états d'être, y compris "supra-humains".

Se produit alors (après la rencontre des deux Ka dans le coeur de l'homme) la rencontre sur l'axe vertical, la jonction des deux Horus : "le jeune" et "l'ainé", grâce à l'épreuve du feu qui produit "l'incoporation de l'Esprit": Le rayon de la Maât remonte et se connecte à sa source solaire.[152]

L'adepte nourrit en lui-même son propre soleil, sa compréhension, sa Connaissance s'accroissant il atteint la véritable stabilité (pierre, cité[153], île, montagne,...).

Ainsi il passe par plusieurs étapes successives, et par la symbolique planétaire et métalurgiste des alchimistes on peut dire qu'**il passe du plomb (saturne) à l'argent (lune) puis à l'or (soleil).**

Ces sept métaux, symboles aussi des sept niveaux de l'être, des 7 portes, ont des correspondances universelles.

Au niveau ultime il n'y a plus de différence entre l'intérieur et l'extérieur, l'être dorénavant identifié au Principe et étant sa Conscience sur tous les plans, Sirius atteint, il n'a donc plus besoin de se réincarner :

"*Je suis Râ* !"

"*Je suis hier et je connais demain* !"

LA TRADITION HINDOUE AU SUJET DES CHAKRAS

152 Par une symbolique moderne informatique on pourrait dire que l'initié a alors obtenu le code internet pour se connecter au cloud Divin, à sa base de données, mais qui ne peut pas se craker...

153 Cité sainte dans d'autres traditions, Jérusalem céleste, qui n'est pas un lieu mais un état de Conscience.

Selon la tradition hindoue, les *nâdîs* ou canaux sont les véhicules de la force subtile circulant dans l'être humain (cette force vitale, la *kundalini*, est relayée par des centres énergétiques appelés *chakras* ou roues, ou encore vortex d'énergie).

Il est important de noter que les principaux *chakras* sont au nombre de sept et que celui au sommet du crâne est **relié** au *nâdî* central, *sushumnâ*, lequel est aussi le nom du **rayon solaire** chez les hindous, au plan macrocosmique.

Les deux courants contraires ou plutôt complémentaires de la force passent en l'homme dans deux *nâdîs* principaux appelés *idâ* et *pingalâ*.

Comment ne pas voir les correspondances avec l'arbre des séphiroth de la kabbale et la symbolique des trois piliers, dont celui du milieu est l'équilibre des forces ? De même qu'avec IAAOU[154], mais aussi avec le Djed, l'Uraeus frontal égyptien, le cobra-naja ? Le *yin-yang*...

Ainsi la loi de correspondance est le fondement du symbolisme.

Rappelons très brièvement que les sept principaux *chakras* se retrouvent le long de la colonne vertébrale, en partant du bas :

Le premier *chakra* est Muladhara (ce qui signifie racine, base) et se situe dans la zone de la périnée ; il est lié à l'élément terre et à la planète Saturne.[155]

154 Voir *supra*

155 Et donc aussi au Capricorne

Il se rapporte au sens de l'odorat et à la couleur rouge.

Son déséquilibre peut se traduire par des comportements addictifs, égocentriques, de l'hostilité et de l'entêtement.

Le second *chakra* est Svadhisthana (douceur) ; il est se situe dans la zone du sacrum, qui a une forme pyramidale, et est lié à l'élément eau et à la Lune.

Il se rapporte au goût et à la couleur orange.

Son déséquilibre peut se traduire par des relations superficielles, immatures.

Le troisième *chakra* est Manipura (pierre qui brille) ; on le localise à la hauteur du nombril, et est lié à l'élément feu et au Soleil.

Il se rapporte à la vue et à la couleur jaune.

Son déséquilibre peut se traduire par un besoin d'approbation, une tendance à vouloir se mettre en avant et une attitude intéressée.

Le quatrième *chakra* est Anahata (non frappé) ; on le localise au centre, au coeur, et ce chakra est lié à l'élément air et à Vénus.

Il se rapporte au toucher et à la couleur verte.

Son déséquilibre peut se traduire par un surplus d'attachement, ou une tendance à la dépression et au doûte.

Le cinquième *chakra* est Vishudha (purification) ; il se situe dans la gorge, et ce chakra est lié à l'éther, ou quintessence, ou cinquième élément ainsi qu'à la planète Mercure.

Il se rapporte à l'ouie et à la couleur bleu (clair).

Son déséquilibre peut se traduire notamment par la fourberie, de la dissimulation et une certaine timidité.

Le sixième *chakra* est Ajna (la perception) ; il se situe dans la zone du cerveau dite pinéale, et ce chakra est lié à la Lumière ainsi qu'à la planète Jupiter.

Il se rapporte à l'intuition et à la couleur indigo (bleu foncé) ; attention les deux bleu sont plutôt des nuances que des couleurs indépendantes, il n'y a dans l'absolu que six couleurs, trois primaires et trois complémentaires, à partir desquelles se conjuguent toutes les nuances.

Son déséquilibre peut se traduire notamment par une difficulté de concentration, la confusion entre réalité et fiction, pouvant mener au déni, ainsi que des désordres médiumniques et "psychologiques".

Le septième *chakra* est Sahasrara (l'infini) ; il se localise au sommet du crâne dans la zone de la fontanelle.

Il se rapporte au sens du Divin et à la couleur violet /

blanc (synthèse alors de toutes les couleurs du spectre).

Son déséquilibre peut se traduire notamment par des tendances tyranniques, et soit un tempérament très "religieux" ou au contraire athéiste.

Il s'agit aussi d'un système métaphysique, basé sur le nombre 7, remontant au *Veda* (connaissance) et *Upanishad* (sagesse), un arbre qui grandit à partir de ses racines, de la Terre au Ciel.

La pratique de la méditation et du yoga, associés à la lithothérapie et une bonne hygiène de vie, rendent aussi possible le rétablissement de l'équilibre énergétique, le travail sur ses défauts et la maîtrise du mental (permettant donc de "rétablir la Maât").

C'est pourquoi j'ai pensé qu'il était bon de le mentionner ici, tout ce qui permet de trouver son point-centre pour rejoindre l'axe étant évidemment bienvenu.[156]

Les chakras sont à la fois dans le monde corporel et "subtil" et ont 7 niveaux, comme l'arbre de vie : Sahasrara = Kether, Ajna = Hockmah et Binah (donc Daath n'est "pas loin"...), Visshudha = Guebourah et Hesed , Anahata = Tifereth, Manipura = Hod et Netzah, Svadhishthana = Yesod, Muladhara = Malkhut.

Des pierres précieuses ou semi-précieuses peuvent aussi leur être associées grâce aux couleurs.

---

156 D'ailleurs en Sanskrit Yoga signifie unir, joindre.

Voici un tableau synthétique de ces analogies :

Chakra	Sephirah	Couleur	Lithothérapie	Alimentation
Muladhara	Malkhut	rouge	Grenat, rubis	Poisson, volaille, oeuf
Svadhishthana	Yesod	orange	cornaline	Eau, jus
Manipura	Hod et Netzah	jaune	Topaze, citrine	Céréales
Anahata	Tifereth	vert	Jade, émeraude	Légumes
Visshudha	Guebourah et Hesed	bleu	turquoise	Fruits
Ajna	Hockmah et Binah	indigo	lapis-lazuli	Jeûne
Sahasrara	Kether	Violet, blanc	Améthyste, diamant	-

Quelques mots pour finir sur la *kundalini* ou pouvoir du serpent (l'énergie vitale).

Lorsqu'elle est stimulée, elle grimpe le long de la colonne vertébrale énergisant chaque chakra, de la base jusqu'à la couronne, symboliquement pour les égyptiens sous la forme d'une tête de serpent apportant l'illumination dont Pharaon est le modèle (il porte l'uraeus frontal, ce qui le rend "invincible").

Un point pratique très important résulte dans le fait que **la force énergétique produira tous ses effets seulement lorsque la polarité féminine (notre ancrage à la Terre) et la polarité masculine (notre connexion au Ciel) seront équilibrées.**

Un autre point remarquable est que **la poussée viendra du plexus, centre du système**, et non pas du crâne.

Et qu'enfin la montée forcée peut avoir un effet contraire et traumatisante, et aboutir à l'effet inverse recherché : un déséquilibre en guise d'équilibre...

C'est pourquoi il convient de **ne pas brûler les étapes** en ce domaine, le corps n'étant pas adapté, prêt à recevoir les vibrations, la montée naturelle par un style de vie approprié est plus sain et solide, tout venant en son temps.

Il faut donc se méfier de cette mode "*new age*" à vouloir forcer la kundalini, comme un but à atteindre le plus vite possible (ondes hertziennes, mantras, exercices divers fleurissent sur les réseaux sociaux), et, en la matière, pour celles et ceux qui souhaiteraient aller plus loin dans cette "voie", l'inscription dans un club de yoga homologué est plus que recommandée afin d'être guidé par des experts qui adapteront un programme personnalisé fonction des déséquilibres des chakras décelés au cas par cas sur lequel le travail premier sera fourni en suivant un ordre nécessaire.

CE QU ENSEIGNE LA TRADITION CHINOISE

La formule "le Ciel est son père, la terre est sa mère" se rencontre dans la tradition chinoise mais aussi partout, y compris en Egypte.

En effet, en Egypte antique la formule est équivalente avec les symboles de Nout et de Geb.

Le "fils" désigne alors l'initié aux petits mystères qui a atteint le point central (de la croix de l'homme[157]) qui unit seul la Terre au Ciel.

Lorsqu'il deviendra initié aux grands mystères il ne sera pas né de la terre mais seulement du Ciel ("tu es Râ"), car il connait son véritable ancêtre ("Horus l'aîné") et d'un point de vue générique "le père".

Le retour de l'homme d'une position décentrée à une position centrée lui donne (ou redonne) ses prérogatives d'homme accompli.

Cette perfection, réalisée dans les petits mystères est synonyme d'invariable milieu (*tchoung young*) dans la tradition chinoise et a pour symbole le point où passe l'axe vertical, **le centre de la roue ne tournant pas**, n'étant donc plus emporté par le mouvement de la roue cosmique, les vicissitudes de la vie.

On retrouve aussi en Chine le concept universel de la triptique Esprit-âme-corps, réflexions fondamentales du

157 La droite horizontale est la terre, la droite verticale le ciel et le point central la petite initiation, le coeur.

principe :

Pour les chinois l'Esprit est *yang* et l'âme est *yin*, d'où le symbole du soleil et de la lune, que l'on retrouve partout y compris en Egypte (Oeil d'Horus, lotus bleu et lotus blanc, etc...).

Le *tchenn jen* est l'homme qui a accompli effectivement les petits mystères tandis que le *cheun jen* est celui qui a parcouru aussi les grands mystères et atteint "l'identité suprème" ; c'est le plus haut degré taoïste.

La "cité des saules" (*mou yang tcheng*) est le "lieu" de séjour des immortels, le saule étant symbole d'immortalité et le lieu en question est le centre, tout comme la symbolique de l'arbre en Eden, ou encore la symbolique de Nout et du sycomore en Egypte.

L'analogie avec la "voie du milieu" doit aussi être relevée : C'est le chemin ver le point d'aboutissement de l'axe vertical emprunté dans le sens ascendant, l'aboutissement des grands mystères ; le centre de l'état humain se confond à présent avec le centre de l'être total, et il n'y a dès lors plus d'axe, mais un point central unique, le saint palais de la kabbale ou la septième direction, qui contient toutes les six, ou encore le Logos ou le septième rayon.[158]

LES DEUX CHEMINS

Le livre des deux chemins fait partie d'un corpus appelé

158 "C'est le centre qui est le tout" (Lao Tseu "Tao te king")

"textes des sarcophages" ou "coffin texts" (CT) car on a retrouve leurs inscriptions sur les sarcophages mêmes et non plus sur les murs.

La compilation des"coffin texts" (CT), en 7 volumes, a été entreprise par Adriaan de Buck mais inachevée de son vivant.

Les compilateurs-successeurs ont cependant conservé sa nomenclature méthodique, très pratique, au fur et à mesure que de nouveaux textes étaient découverts et rajoutés (car les textes sont éparpillés un peu partout dans le monde, dans différents musées ou sites archéologiques).

Il existe néanmoins des CT regroupables par ensembles ; parmi eux nous trouvons "*le livre des deux chemins*"et "*le livre de Chou*"[159].

Le livre des deux chemins va nous intéresser en particulier, car il n'a pas seulement vocation à aider le défunt post-mortem ; ce livre a aussi une valeur initiatique certaine, pour les vivants.[160]

Lorsque nous en étudions le contenu, il ressort tout d'abord que le premier chemin est un chemin d'eau bleu avec la présence de Thot, d'Anubis et d'Osiris.

Le second chemin est un chemin de terre, un chemin noir, avec la présence de Râ, de Maât et d'Horus.

Mais ce qui frappe le plus (et apparaît, *apriori,* comme

159Voir *infra*

160 En ce sens cf notamment A. Fermat et P. Barguet

anachronique) est que le chemin d'eau se parcours à pied tandis que le chemin de terre se parcours en...barque solaire (renversement).

L'autre élément qui ressort du déroulé général est que la progression du défunt (ou de l'initié) se fait selon ce qui ressemble en tous point à la géographie d'un temple.

Devant l'entrée de feu se tient un gardien nommé "*celui qui repousse les ignorants*"(1037), preuve s'il s'en faut que le parcours sera initiatique et que son but est bien la Connaissance.

Tout au long du parcours des génies barrent les entrées, et ne cèdent le passage qu'avec l'aide du Neter ou de la communication d'un nom, d'un mot de passe, ou l'énonciation de qualités.

L'initié arrive ensuite devant un réceptacle, un vase clos, renfermant les lymphes d'Osiris, "*les lymphes du principe de transmutation*" (précise-t-on dans le texte).

A coté, notons la présence du corps d'Osiris, dont les morceaux sont rassemblés dans un sac et l'intervention déterminante d'Anubis.

"*Quant à tout homme arrivé en ce lieu, il vit*".

Alors l'initié reçoit la tête.

L'initié arrive à présent devant l'entrée d'un nouveau lieu (le temple couvert) et est accompagné par Maât dans la barque solaire.

Dans le temple le couloir central s'appelle "*le chemin de Thot vers la demeure de Maâ*t".

Il y a sept portes (groupées en 4 puis 3, 4+3) également gardées, et l'on aboutit alors dans le domaine de la Lumière.

Horus étant "*rendu intact*", l'initié a la permission de voir la face d'Horus-Râ, d' *Horus l'ancien*, une fois le second cercle de flammes franchi.

Détail important, l'initié nait de Râ, de la Lumière divine : "*Il n'est pas sorti de la chair de son père*".

Râ y est appelé "*verbe en acte"*, Nout "*celle de l'énergie du Ciel*" et Osiris "*principe de transmutation*", Thot "*celui de la Connaissance*" et Apophis est "*le grand avaleur des eaux*"(1047 et 1053).

"L'énergie du Ciel Nout prépare les chemins pour le Verbe en acte au-devant du Grand afin qu'il parcoure le chemin sinueux."

"Dresse-toi, Verbe en acte, dresse toi donc, Celui qui est à l'intérieur du sanctuaire secret de sa demeure." (1029).

Certains gardiens ont des noms de défauts humains : Le bouillant, l'injurieux, celui qui se hâte, celui qui agresse, celui qui terrorise (1041).

La formule *'le pain qui donne vie"* a comme un écho

précurseur des Evangiles (1049).

"Ces chemins sont ceux qui fourvoient (...) celui qui sait cela trouvera parmi eux le bon chemin."[161]

Ces deux voies complémentaires symbolisent l'initiation, tant aux petits mystères qu' aux grands mystères.

En effet : Le premier chemin, la voie d'eau, lunaire, osirienne, est la voie des petits mystères qui mène à son propre centre, par des purifications, un travail sur ses défauts, un attitude quotidienne conforme à la Maât permettant de trouver son coeur-centre.

Le second chemin, du feu, de Horus-Râ, est celle des grands mystères qui conduit à des états supra-humains à partir de ce centre par une élevation, une montée vers les cieux, l'âme étant attirée de même que la Maât par la solarisation, le passage du rayon dont le terrain a été préparé lors de la phase précédente et une modification du point central.

LE LIVRE DE CHOU

Le "*livre de Chou*" est issu d'un second regroupement des textes des sarcophages, le premier nous l'avons vu forme le livre des deux chemins.

Le thème principal du livre de Chou est la révélation de la Lumière créatrice et de la Vie ; il correspond aux chapitres 75 à 83 (inclus) des CT.

161 On pense tout de suite au symbole du labyrinthe

La Lumière Chou, issue de Toum[162], sépare le Ciel (Nout) et la Terre (Geb).

"Celui qui est et qui n'est pas", son "père", avant cette action créatrice, demeure immobile dans le Noun.[163]

En fait Amon (le caché) y est toujours en éternité, sinon Il ne serait point l'ETRE ; il intervient donc, mais "indirectement", par l'intermédiaire de ses "fils" et "filles" dans le processus de création auquel il donne l'impulsion initiale (en l'occurence ici par Chou), comme Ein Soph Aor via Kether.

Chou se déclare d'ailleurs "*plus puissant que la confrérie lumineuse de neuf neterou*"[164], ce qui, par analogie le situe tout en haut de l'arbre, c'est à dire, en terme de Kabbale dans la sphère d'influence de Kether-Metatron.

Chou est une fonction du Logos ou Verbe Divin, plus précisément "le rayonnement de la Lumière Divine", "la Vie" :

"***Je transmet continuellement les paroles divines*** *qui se transforment elles-même en des millions de manifestations*".

"*Je me suis transformé en membre du* ***grand Dieu qui est advenu de lui-même***.

Il m'a façonné au moyen de son coeur, m'a créé au moyen de sa Lumière rayonnante.

162 Ou Atoum, Amon-Râ , "l'Etre-non-Etre", la symbolique solaire, de même que celle lunaire, changeant de nom selon la "phase" considérée.

163Faire un parallèle avec le concept de "Dieu mort", et "celui dont le coeur s'est arrêté".

164Chap 75 CT

Il m'a expiré de sa narine."

"*Ô celui qui Est et qui n'Est pas.*

Je suis celui qui fait offrande des nourritures, et qui ***fait prospèrer le Verbe pour le principe de transmutation.***"

"***Le souffle de vie est mon vêtement.***"

"*J'entre et je sors du Naos*".

"*Je parcours tous les cieux et embrasse toutes les terres*".

"*Je suis le rayonnement de la Lumière Divine dans sa totalité*" (Chap 75).

"***Nouez l'échelle*** *pour celui qui Est et qui n'est pas.*"

" *Je porte ma fille Nout sur ma tête, j'ai placé Geb sous mes pieds, je suis entre les deux.*"

"*Aussi la confrérie lumineuse des neuf néterou ne me voit pas*".

"*Mon père m' a craché en compagnie de ma soeur, celle de la flamme.*"

"***Support de l'éternité, c'est moi, la Lumière, qui reproduit l'action de la création éternellement***."(Chap 76)

"Ô les huit éternels qui sortent de la lumière dont les noms ont été façonnés conformément à la parole."

"Je compte les nombres, je plante des piliers, soubassements du Naos".

"Quand l'intuition créatrice sortit à ma rencontre de l'intérieur du disque de Lumière je descends vers la barque, ***j'arrime le naos du verbe en acte*** *(Râ)* ***au moyen de l'harmonie qu'il ne cesse d'aimer.*** *" (Chap 79)*

"Je suis ce feu secret de la lumière qui monte vers le ciel pour ne pas cesser de l'aimer, et qui descend vers la terre pour que mon coeur la touche."

"Je suis l'éternité qui enfante ceux d'éternité. ***Je réitère l'acte créateur.*** *"*

"Alors, celui qui Est et qui n'Est pas dit : Son nom (à Chou) ***est Vie, son nom*** (à Tefnout) ***est rectitude (Maât)."*** *(Chap 80)*

"Je suis la vie, je suis celui qui fait vivre les gorges*, je viens et je vais, j'ouvre le chemin pour la Lumière en acte (Râ), afin qu'elle navigue sur la barque."*

"Je la porte et la sauve de l'avaleur des eaux (Apop) quand elle se rend en Occident."

"Je suis la vie, préposé au cou de mon père et rend florissante sa gorge. Je noue sa tête et fais vivre son uraeus."

"J'établis la tête de celle du trône (Isis) sur sa nuque"

"Je suis la Vie, maître des années, vivant de l'éternité de l'instant, maître des cycles de l'éternité". (Chap 80)

"Je suis la Lumière, le fils de celui qui est et qui n'est pas." (Chap 81)

***"Mes deux yeux fraternisent avec les deux yeux du lointain** (Horus)" (Chap 82)*

LE LIVRE DES RESPIRATIONS

Le **"*Livre des respirations*"** (*Shaï-en-sinsin*), bien que de basse époque, trouve sa source dans des concepts bien plus anciens.[165]

Il s'agit d'un exemplaire en papyrus que l'on plaçait sur la momie[166], à coté du "*Livre de sortie au jour*", auquel on rajoute parfois à la même période le "*Livre pour parcourir l'éternité*".

Dans ce texte Osiris descend en Occident sous forme de Lune.

Nout y est, de façon intéressante (pour les CMD)[167], explicitement symbolisée par la constellation d'Orion.

"*Osiris (X) tu es pur,*

165 En ce sens plusieurs auteurs dont P.J. De Horrack.

166 Exactement sous le bras gauche, près du coeur.

167 Cf le paragraphe sur l'astronomie appliquée.

Tu es purifié de tout péché, de tout crime,

***Pierre de vérité** est ton nom."*[168]

"*Tu vois Râ à son coucher,*

Atum le soir,

Amon est auprès de toi,

Pour te donner le souffle.

Ptah pour former tes membres,

Ton âme est admise sur la barque Neshem avec Osiris.

Ton âme est divinisée dans le demeure de Geb."

On voit encore ici que pour une justification, la base solide symbolisée ici par la pierre, est le respect de la Maât ("*tu es purifié de tout péché*").

Le défunt est alors admis dans le royaume des morts (mention de Geb, de la barque Neshem et de la forme du soleil nocturne).

Fait important, Ptah lui façonne un corps (l'expression membres est employée).

"*Osiris (X) **ton individualité est permanente**.*

168 Notons la correspondance avec le VITRIOL de l'alchimie, évoqué *supra.*

Ta momie germe."

On se souvient de la symbolique de fertilé déjà rencontrée et de la présence de plantes et arbres qui en découlent, quant au corps ce n'est bien sûr pas celui du défunt.[169]

"***Anubis te protège,***

Tu n'es pas repoussé aux portes du ciel inférieur."

Il vient à toi Thoth,

Tu renouvelles ta forme sur la terre parmi les vivants."

Il y a d'une part une allusion aux petits mystères et le fait remarquable d'un autre cas de mention claire à la réincarnation.

"*Osiris (X),* ***Amon est avec toi pour te rendre la vie.***

Tu vois les rayons du soleil.

Amon vient vers toi avec les souffles de Vie,

Tu montes sur la terre chaque jour.

Tu contemples les rayons du disque.

169 Cf également en ce sens I corinthiens XV 35-58.

Horus divinise ton âme*.*

L'âme de Râ fait vivre ton âme.

Ici on change de niveau car il semble bien que les grands mystères soient évoqués.

La suite renforce l'idée :

"Amon-Râ te fais vivre,

Tu sers Osiris et Horus*.*

Ton nom prospère chaque jour."

"Ton coeur est à toi,

Il ne sera plus séparé de toi.

Tes yeux sont à toi,

Ils s'ouvrent chaque jour."

"Ton âme est vivante,

Pareille à Râ*, toujours et éternellement."*

Vient ensuite un passage troublant, car il n'est pas sans rappeler d'autres écrits de l'Ancien et du Nouveau Testament :

"Il a donné des pains à celui qui avait faim,

De l'eau à celui qui avait soif,

Des vêtements à celui qui était nu."

Un autre passage permettant une libération évoque aussi l'état, non plus des petits mystères, mais des grands mystères, ainsi que les possibilités de réincarnation [170] :

"Que son âme soit admise en tous lieux qu'elle aime,

Et pour qu'elle accomplisse toutes les transformations à son gré."

LES TEXTES DES PYRAMIDES

Les textes des pyramides ont été retrouvés sur les murs des pyramides de Pharaons sur le site de Saqqâra datant de l'ancien empire (Vème et VIème dynasties).

Principalement dans les pyramides d'Ounas, de Téti, de Pépy 1er, de Mérenrê (Mirinri) et de Pépy 2 (neferkaré).

Les textes des pyramides décrivent le périple du Roi défunt de la mort à la Vie.

On y trouve un ensemble de prières, conseils, formules, afin de lui venir en aide dans son voyage.

Par exemple le défunt est invité à se relever : "*Debout,* ***ôte la terre*** *qui est sur toi,* ***secoue la poussière*** *qui est sur toi,*

170 Cf *supra* nos développements sur la réincarnation

dresse-toi *pour voyager parmi les esprits".*

Il y a aussi l'idée d'**ascension** : ***"Tu montes au Ciel comme les faucons"***.

Et de justification : *"Il n' y a pas d'accusation d'Ounas sur terre chez les hommes, il n'y a pas de calomnie contre lui au Ciel".*

"Assied-toi sur le trône d'Osiris (...) tu donneras des ordres aux vivants".

"Monte auprès de ta mère Nout (...) vers le lieu où se trouve Râ".

"Le temps de vie du Roi est l'éternité, sa limite est l'infinité."

Ces formules, d'initialement réservées au pharaon puis à la famille royale, vont ensuite se démocratiser au fil du temps.

A partir du moyen empire apparaissent les textes des sarcophages, et ces deux sources, (textes des pyramides et textes des sarcophages) influenceront grandement par la suite le Livre des morts au nouvel empire.

Voici d'autres extraits des **textes de la pyramide d'Ounas**, qui sont **les plus anciens connus**.

Il s'agit d'une cérémonie faisant intervenir plusieurs prêtres (l'un récite les versets, l'autre prend en charge le matériel rituélique et les offrandes).

Il y a d'abord une purification par l'eau, faisant intervenir la statue du Roi Ounas, puis l'encens et brûlé tandis que des formules rituelles, magiques et incantatoires sont récitées.

"***Osiris, on t'a pris tout ce qui était odieux dans Ounas***,

Thot, viens, prend cela à Osiris".

"*Ne sois pas détruit par cela dans la suite.*

Osiris-Ounas, je t'ai donné l'oeil d'Hor et ta face en est remplie,

Et le parfum de l'oeil d'Hor s'étend sur toi."

"*Que la voix ne sorte point de toi !*"

"*Ta tête est pour toi purifiée de nitre,*

Tes os sont purifiés d'eau complètement."

"***Hor vient s'unir à toi***".

"***Saisissant les deux yeux d'Hor,***

Le blanc et le noir,

Tu les a pris en toi,

Et ils éclairent ta face."

Puis viennent les offrandes : gateau, vin, bière...

"*On te présente l'oeil d'Hor,*

Pour que tu éclaires la nuit."

"***Pour rafraichir ton coeur***".

Puis l'on utilise divers parfums, résine, huiles, huile essentielle d'acacia, et l'on farde la face du Roi avec un fard vert.

Il y a ensuite un repas funéraire dans la pyramide.

"*Osiris, qu'Ounas n'ait point soif, n'ai point faim !* "

"***Ô Râ, soit bon avec lui, car Ounas s'est uni au lotus***."

Ounas monte ensuite dans la barque de Râ :

"*Vous avez pris Ounas avec vous, il demeure où vous demeurez.*"

"*Il est puissant de votre puissance,*

Il navigue de votre navigation".

"*Ounas court autour du ciel comme Râ.*"

"***Ounas est conçu dans Nout, il est enfanté dans Nout***".

On remarque que Ounas n'est plus le Ounas humain, celui né d'un ventre, mais né à présent du Ciel, tout comme Râ ; ceci explique d'ailleurs pourquoi certaines représentations de personnages étaient dépourvues de nombril.

Nous sommes donc à présent dans les grands mystères.

Cette clarté des rituels et des concepts, dès l'ancien empire, nous pousse à conclure que ce "corpus" bien rodé n'a pas été créé spécialement pour Ounas, mais résulte d'une tradition écrite ou orale remontant à une période encore bien antérieure.

S'ensuivent d'autres prières et formules magiques lors de laquelle Ounas est lié à Toum[171] :

"*Ta main est Toum, tes bras sont Toum, ton ventre est Toum...*"

"*Tu te purifies avec l'eau fraîche des étoiles,*

Puis tu descends sur les cables de fer,

Par les mains d'Hor, en son nom d'habitant de la barque."

Et ici je relève un passage que j'estime fondamental car relevant des grands mystères :

171 Une phase solaire donc

"Quiconque est engendré de Dieu, sa chair ne passe point,

Et ta chair ne passe point ;

Râ-Toum ne te donne point à Osiris."

D'ailleurs il n'est plus ensuite question du ciel inférieur (osirien) mais du "**ciel d'en-haut**" (Horus-Râ) :

"*Râ-Toum, il vient à toi cet Ounas,*

TON FILS vient à toi ;

parcourez LE CIEL D' EN HAUT."

"*Tu l'as accueilli,*

Car il est le fils de ton corps à jamais."

"*Tu te dresses sur cette terre,*

te manifestant en Toum,

ne te manifestant pas en kheperou !

Et ton père te voit, Râ te voit !"

La mention de la fin des transformations (involontaires) est explicite, de même que le lien retrouvé avec le "ciel d'en haut".

"T*u sors, tu t'es mis en route avec les membres de Shou* (ou Chou[172]),

Tu es roulé dans les deux bras de ta mère Nout,

Tu t'es purifié DANS LE CIEL."

"Tu descends avec Râ,

Ô Toum, tu as fait passer la porte à cet Ounas."

"Ounas a précipité Hor derrière lui,

Eployant ses deux ailes comme l'épervier,

Brûlant comme l'aigle au regard fixe,

Réuni à son âme."

"Les portes des eaux d'en-haut s'ouvrent".

***"Ton fils Hor t'a fait le sacrifice**,*

Et les grands tremblent quand ils ont vu l'épée dans ta main,

A ta sortie du ciel inférieur".

172 Cf le paragraphe relatif au "livre de Chou".

"C'est Ounas le grand,

Ounas est sorti d'entre les cuisses de la neuvaine *(des neterou),*

L'étoile soped[173] ***a enfanté Ounas****,*

Car elle conduit la route du soleil chaque jour*."*

"***Ounas rassemble les coeurs***".

"Salut à vous neterou qui êtes au ciel inférieur,

Ounas est venu et vous le voyez prendre la forme du grand Dieu,

Ounas donne des ordres aux hommes,

Ounas pèse les paroles de ceux qui vivent dans le premier domaine de Râ,

Ounas adresse la parole par ce domaine pur où il s'est établi."

"***La direction que suit Ounas est la direction que suit Râ****,*

Aussi Ounas est venu vers son siège de roi du midi et du nord,

173 Sothis d'Orion : L'année Egyptienne est en effet gouvernée par la constellation d'Orion et non par le soleil (cf la partie de l'ouvrage consacrée aux développements astronomiques, astrologiques et CMD.

Et Ounas se lève sous forme d'étoile."

"Ounas rassemble les coeurs"

"Ounas est venu et vous le voyez qui prend la forme du Dieu grand"

"Nout le reçoit et Chou l'introduit."

"***Que le grand Dieu se dresse et que se réunissent les deux espaces.***"

"*Te séparant de tes formes, va t'en en paix et* ***joins-toi à ton père***."

"***Il a élevé sa tête sur son sceptre wAs*** (Ouas), *et le sceptre wAs d'Ounas lui sert de protection en son nom de souleveur de tête*".

"***Ounas n'entre pas en Seb*** (Geb), *son âme romp à jamais son sommeil dans sa demeure qui est sur terre*",

"***Ounas est au Ciel****, sous forme d'air, il ne détruit rien et rien ne le détruit,*"[174]

"***Son gâteau d'offrandes est pour Hor et Râ***".

"*Ounas lance la javeline, abat du glaive le rebelle*"

"*C'est Ounas, le coeur de Thot, le coeur de Chou.*"

174Neutralité, centre de la roue.

"Ounas est arrivé à la hauteur et la largeur du Ciel,

***Ounas** y a exécuté la manoeuvre,*

*Il **a rassasié les uraeus,***

Les génies lumineux lui ont rendu témoignage,

Ils introduisent Ounas à Râ."

*"Ils lui donnent **ces quatre esprits aînés qui sont dans les mèches d'Horus**."*[175]

"Il a mangé la sagesse de tout Néter,[176]

C'est sa période que l'éternité, dans la forme qu'il lui plaît de prendre".[177]

"Car leur âme est dans Ounas, leurs esprits sont avec Ounas".

"Donnez donc qu'Ounas ouvre les deux battants de la porte du Ciel."

"Ne repoussez pas Ounas quand il voyage avec son père,

Car il connait son nom : Le maître de l'année."

"Voici qu' Ounas t'a porté ton grand oeil gauche,

175Les suivants d'Horus.

176Gravissement de l'échelle, de l'arbre de vie.

177corollaire

Tu lui as ouvert en ton nom de Râ,

Tu le laves en son nom de saule,

Tu brilles par lui en son nom de cristal."

"*Tu as élu Hor maître de la pierre verte, quatre fois,*

Si bien que les deux Hor sont florissants."

"*Le voici fils de Sopdit* (spd-t)

Sopdit a fait s'envoler Ounas vers le ciel,

Nout la grande a courbé ses bras pour Ounas."

"***Celui qui lève l'échelle c'est Râ pour Osiris**,*

***C'est Hor pour son père Osiris**,*

Lorsqu'il va vers son âme, l'un de ce coté-ci,

L'autre de ce coté-là, car ounas est entre eux,

L'écrit d'Ounas est scellé du grand sceau, certes pas du petit sceau."

*"Ounas entre au Ciel sous son nom d'**échelle**,*

C'est Toum qui a rendu son arrêt à ce sujet."

"Hor ouvre les porte du ciel à Ounas à travers les ***flammes****,*

Car ***Ounas c'est Hor****".*

L'évocation de l'état des "grands mystères" est très claire encore dans ce passage, et ce texte a été retranscrit il y a 4500 ans !

"*Les énergies d'Ounas s'exercent au Ciel,*

Ounas a apporté le cristal au grand oeil."

"***Ounas donne ses ordres à ses sept uraeus***" (les sept chakras)

"***Ounas a deux lumières en son oeil, il fait pousser le lapis et réunit les cieux***."

Dans la pyramide de Téti figurent aussi des écrits fort instructifs :

"*Flamme amie de Hor qui est dans la gorge de Râ* (lieu de la parole, du verbe),

Lance-toi vers le Ciel, car Téti va vers le Ciel".

"*Salut à Toi grand Dieu, quand Tu as pris Téti lui s'empare de ton coeur,*

Car les corps de Téti sont pour Toi des nourrissons."

"Téti est enfanté dans le Nou."

"Tu as ouvert les deux portes du Ciel,

Tu as tiré les grands verrous,

Tu as levé le sceau de la grande porte."

Thot met en déroute pour toi les suivants de Sit,

Et il a repoussé le coeur de Sit, car il est plus fort que lui."

"Hor a donné qu'Isis et Nephtys te défendent,

Et Hor t'a accompli les rites en ton nom d'horizon où se manifeste Râ,

***En ton nom de Dieu qui est à l'intérieur du Palais**."*

*"**Hor s'est introduit dans ton coeur**,*

***Ceux qui prennent des résolutions pour toi ce sont les deux Hor**, génies de Nou."*

"Ô barre qui ferme la porte de Nout, c'est Téti Shou qui sort de Toum !

"S'ouvrent les portes du Ciel et Téti sera parmi les hommes sans nom."

" ***Ô chemin de Hor****, tend ta voile pour Téti, tend ta main vers l'ouest, tend ta main vers l'est"*.

"Téti a passé la grande barque,

il est arrivé à la hauteur du ciel,

il connaît les uraeus,

Dieu *a appelé Téti en son nom,*

Et il ***introduit Téti à Râ****."*

*"****Quatre génies*** *se tiennent aux* **piliers**-*sceptres du ciel.*[178]

Ils disent le nom de Téti à Râ,

Râ est donc venu à toi, déliant tes liens, brisant les cordes*."*

(l'état de libération résultant des grands mystères est clairement évoqué ici).

"Les lits de ce Téti sont ceux que lui a donné son père Shou".

---

178 Ce sont des *Ouas,* piliers du firmament à l'orient du ciel ; remarquez l'analogie avec la kabbale hébraïque également sur ce point et bien sûr l'analogie avec les fils d'Horus, sur laquelle nous nous sommes déjà longuement étendus.

"Le gateau d'offrande de ce Téti est pour Hor et Râ."

"Téti va avec Râ, il a embrassé ses demeures,

Il assemble les doubles, il délivre les doubles."

"***Les neterou ont soulevé ta face et ils t'ont aimé.***"

"Isis et Nephtys t'ont fait passé de l'autre coté du ciel".

"Le double de Hor repose sur toi,

Accours, car ***tu as reçu la parole d'Hor*** *pour te poser sur elle.*

Hor t'a introduit afin que ta face s'illumine.

Hor t'a mis dans le coeur des neterou,

Il a accordé que tu prisses tous les diadèmes."

"Hor t' a donné son oeil florissant,

Tu as vaicnu tous tes ennemis."

"Hor t' a redressé *comme sans pareil,*

Hor t'a donné ses enfants pour qu'ils te soulèvent,[179]

179 Les mêmes que ceux des vases canopes, ou "suivants d'Horus" : (*cf* mes développements sur l'orientation de l'autel)

Il t'a donné les néterou, pour que tu sois leur maître".[180]

(Je vois ici un symbole "kabbaliste" : l'arbre étant remonté Téti culmine en Kether, c'est la raison pour laquelle il est dit "maître" des néterou).

"Vivant, brillant, ***bienheureux****."*

"Les Lumineux, enfants de Nout, t'ont assemblé et tu te dresses."

"Hor Sopd sort de toi en qualité d'Hor résidant de Sothis,

Hor t'a apporté les coeurs des Néterou, il t'a donné son oeil pour que tu prennes la couronne parmi les Neterou."

"Hor, ton fils qui t'aime, t'a établi solidement les deux yeux"

"Hor a fait que son double, qui est en toi, s'unisse en toi."

"Ô serpent qui t'enroule, ne t'enroule pas pas autour de Téti,

Car ***le bois de Téti est le sycomore****."*

"La vertu magique de Téti est supérieure à toutes les formes qui sont dans l'horizon".

180 Il est donc parvenu "en haut', à Kether la couronne, Râ par analogie du sycomore sacré.

"Téti élargit la demeure avec Sib, élève le firmament avec Râ."[181]

"Téti a ouvert sa bouche, percé ses narines, foré ses oreilles, adresse la parole à Râ."

"Hor a détruit tout ce qu'il y avait de mal en Téti au moyen de ses quatre génies".

Voici à présent quelques extraits des textes de la pyramide de Pépi :

"Ô Pépi, dans les domaines de Sa tu sors près de ta mère Nout,

Elle te livre le chemin de l'horizon vers lequel est Râ."

"Râ te guide dans les deux temples du ciel."

***"Tu as ouvert les deux portes du double horizon, après les deux portes de Sib à la voix d'Anubis**, qui accomplit le rite pour toi comme Thot."*

"Quand Pépi est sorti au ciel, il y a trouvé Râ debout en face de lui,

Et après qu'il s'est assis sur les épaules de Râ, Râ ne

181Symbole de la croix avec une droite horizontale et une verticale.

l'a plus laissé se mettre à terre,

Sachant que Pépi est plus grand que lui".

"Ô Hor, tu mets le double de Pépi au ciel, auprès des vénérables qui connaissent Dieu,

Auprès de ceux qui soulèvent de leurs sceptres[182] *les EVEILLES".*

"Thot fait cadeau à l'Osiris-Pépi de sa vie qui ne lui appartient pas encore,

Thot lui donne l' oeil d' Hor."

"Pépi tu es pur, Shou est pur, Tefnout est pure,

Et ils sont purs ces quatre génies".

"Tous les neterou t'ont donné leur chair."[183]

"Les indestructibles se lèvent pour toi,

les vents sont pour toi de l'encens,

et ton vent du nord est une flamme,

Tu es cette étoile unique qui sort dans la moitié orientale du ciel."

---

182 Dans les medou neter de l'extrait, sceptres est mis au pluriel et le hiéroglyphe choisi est was.

183 Ressemblance avec la cène et la communion chrétienne ("mangez, ceci est mon corps").

"Pépi acclame les régions élevées, (...) ***son sycomore élévé est à l'orient du ciel.***

Vers lequel accourent et sur lequel se posent les neterou pour Pépi*".*

*(*Ceci est une mention explicite de l'arbre de vie[184], il y a de cela plus de 4200 ans !)

"Tout endroit où va Râ il y trouve Pépi,

Car ***c'est Pépi le messager de Dieu****".*

"Pépi sort vers cette moitié orientale de ciel où naissent les néterou".

"Pépi a trouvé tous les Lumineux et est allé à cette place plus sainte que toute place*."*

(L'allusion aux sphères, aux sephiroth et au Saint Palais, centre des directions et point primordial est claire).

"L'uraes de Pépi est sur son front, (...) il entre sur Nout en son nom ***l'échelle.****"*

"On t'apporte ***les neterou*** *du ciel, les neterou de la terre, ils* ***s'unissent à toi****".*

"Pépi a parcouru les hauteurs du ciel, pavillon du

184Cf infra les développements sur l'arbre de vie et le sycomore sacré.

firmament."

"Râ fait de ce Pépi maître de vie et de force."

"Râ a purifié le ciel, Hor a purifié la terre."

'Hor ne met pas ce Pépi parmi les morts, il le met parmi les nétérou."

*"Ce **Pépi est Hor, maitre de l'échelle**[185], **l'échelle de Dieu**."*

"Pépi se lève comme l'uraeus, (...) tout Lumineux lui tend le bras sur l'échelle".

(intronisation aux grands mystères)

"Viens donc Ô échelle, venez vous qui sortez, venez vous qui descendez"

"Pépi se tient sur la partie orientale du ciel, parmi les indestructibles."

"Pépi s'est lavé avec Râ, (...) s'ouvre le ciel, s'ouvre la terre, s'ouvrent les avenues du Nou (...) les avenues de la région de Lumière."

"Pépi est enveloppé de Hor, (...) Shou le porte."

"Pépi est l'uraeus sortant de Râ (...) ayant les quatres

185 Les correspondances au Christ fils de Dieu , Horus , et à l'échelle de Jacob semblent explicites.

génies d'Hor[186]*."*

"Pépi sort au ciel de ses ailes comme une grande oie qui a rompu ses liens."

(allusion à l'âme délivrée, déliée, libérée)

"S'ouvrent les portes du ciel pour Hor l'oriental devant Râ".

"Pépi dit ce qui est et fait exister ce qui n'est pas.*"*

(la montée dans l'axe vertical donne accès aux états supra-humain, Pépi est à présent créateur par le verbe)

"Les étoiles lui ont donné accès aux pavillons-forteresses de Dieu".

"Il prend le sceptre et il commande aux portes des Neterou".

"Son bras gauche supporte le ciel en force, son bras droit supporte la terre en joie."

"Il florit parmi les neterou, ***il fait son choix comme le Grand qui choisit****."*

"Donne de ton pain perpétuel, donne de ta bière éternelle, car c'est ***Pépi le gardien des deux colonnes de Râ*** *qui sont au ciel."*

---

186 Les 4 piliers, les 4 directions, les 4 puissances , les 4 éléments, le nom divin en quatres lettres...

"Pépi s'est ouvert la route parmi les oiseaux".[187]

"Les chefs des indestructibles donnent à Pépi ***cet ARBRE DE VIE dont ils vivent, pour qu'il en vive à son tour****"*.

"Ô ces quatre génies qui êtes dans les tresses de Hor (...), s'il l'ordonne, conduisez cette barque à Pépi pour qu'il fasse connaître votre nom aux hommes" (désormais il a le pouvoir de décider de se réincarner ou non).

"Toum adjuge Pépi vivant au ciel"

"Les deux enfants de Toum mettent Pépi entre eux".

"***Râ a enfanté Pépi ; Pépi sort donc, il s'élève au ciel.***"

"Pépi passe avec son double au ciel, il a dressé l'échelle,(...) il a embarqué les sceptres des indestructibles."

"Pépi a dressé les deux sycomores[188] *qui sont de ce coté-là du ciel, quand il arrive ils le placent de ce coté oriental du ciel."*

"Gloire à Râ, voici que tu te lèves à l'orient du ciel, tend la main à Pépi, ***transporte-le avec toi à la partie orientale du ciel."***

Voici quelques extraits des textes de la pyramide de Mirinri :

187Allusion à ce que l'on appelle "le langage des oiseaux' ; l'oiseau était aussi symboliquement perché sur le sycomore.

188 Allusion à l'arbre de vie ET à l'arbre de la Connaissance

"Monte vers le ciel, (...) car le ciel a enfanté un Dieu sur les deux mains de shou et tafnouit'.

"Mirinri est le Grand fils du Grand".

"Prends Mirinri avec toi,viens à Mirinri en ton nom de Râ qui repousse l'obscurité du ciel".

"Mirinri se lève à la partie orientale du ciel comme Râ".

"Il se bat comme Hor muni du double cycle des nétérou".

Et enfin, voici quelques extraits des textes de la pyramide de Pépi 2 ("neferkaré"):

"Tu joues ton rôle en présence du grand Dieu, tu es un Lumineux plus que tous les Lumineux, (...), ***tu n'es pas repoussé de tout lieu où tu vas****".*

"Néferkaré, Hor t' a rempli de son oeil complètement."

"***Salut à toi, l'Unique, qui dis chaque jour : Viens Hor, viens toi qui est maître des nétérou".***

"Prends ta place, au front du ciel, au lieu où ton coeur désire se poser."

"Toum n'a pas permis que tu obéisses aux neterou** de l'occident, de l'orient, du midi ou du nord (...) **mais tu obéis à Hor, car c'est lui qui te munit, c'est lui qui te façonne, c'est lui qui te fournit."

***"Les portes d'en haut s'ouvrent à Hor** (...) à lui qui te délivre de tout mal que t'a fait Sit."*

"Quand tes portes d'en haut se dressent, qu'elles ne s'ouvrent pas aux neterou de l'ouest, de l'est, du nord ,du sud, ou du milieu, qu'elles s'ouvrent à Pépi Neferkaré, car lui les fait, lui les dresse, lui les délivre."

"Je suis Horus, qui te donne ton bâton parmi les lumineux."

"Hor t' a pacifié en paix, si bien que ton coeur repose en lui."

"Ô Pépi neferkaré, Lumineux dans l'horizon de Lumière, stable dans la région stable, qui rend ton décret en qualité de chef des vivants éternellement."

"Râ te munit et te rend âme forte."

" Pépi neferkaré est sain, fils du sain, issu de l'oeil d'Hor".

"Voici debout ces quatre neterou des quatres angles de Pépi neferkaré, Amsiti, Hapy, Touatimoutf, Qabhsonouf, enfants d'Hor (...) ils lient les liens de l'échelle de Pépi

neferkaré, ils font solide l'échelle de Pépi neferkaré et l'introduisent (...) à la partie orientale du ciel".

"Tu guides ceux qui sont dans le nou, ***tu rends tes decrets aux neterou****".*

"Salut à vous, eaux que Shou (Chou) apporte, eaux nées du nou (Noun), quand le ciel n'était pas encore, que la terre n'était pas."

*(*Ici encore la mise en parallèle avec le début de la Génèse de la Bible est troublante*).*

" Pépi neferkaré est un de ce Grand corps divin que personne ne gouverne."

*"****Râ t'appelle****, Pépi neferkaré,* ***et voici que le chacal, administrateur de la double neuvaine, te met comme l'étoile du matin*** *(...)* ***Quand tu as ouvert la porte qui mène à l'horizon le coeur des neterou vole à ta rencontre****."*

LE LIVRE DES MORTS (OU LIVRE POUR SORTIR A LA LUMIERE DU JOUR) :

Nous avons eu plusieurs fois l'occasion d'évoquer le "livre des morts" au cours de développements précédents.

Il est lui-même imprégné de tout le corpus antérieur des

"textes des pyramides" et des "textes des sarcophages" et la légende en fait une création de Thot.[189]

Avant d'en mentionner encore certains extraits, que je laisse à votre méditation personnelle, je commencerai ici par quelques remarques et vous propose quelques clés de compréhension dans ce labyrinthe ésotérique :

Osiris est à la fois le modèle de tout défunt humain et de tout candidat à l'initiation ; on niveau initiatique, il représente une possible mort de l'égo, par renoncement à l'isfet (chaos, illusions) et l'attrait de la Maât (ordre, justice, vérité), afin de reconquérir son "coeur arrêté".

Ce premier travail sur ses défauts n'est réellement accompli qu'avec l'aide de Thot et d'Anubis (lunaires), dont les symboles sont à la fois magiques, alchimiques et astrologiques ; cela permet de trouver son centre, son vrai coeur, enfoui "dans la terre", de commencer à l'écouter puis d'en faire un levier, un levain, une graine à germer, un lotus qui émerge, un point d'appui, une pierre angulaire, pour une future montée "solaire".

Alors, le coeur léger comme une plume[190] lors de la pesée signifie que l'Osiris n'est plus alourdi par les passions terrestres ; il a deux coeur ab (ou ib) le vase ("intelligence") et hati, le lion (les "passions").

L'homme doit suivre le premier et commander au second, il est alors "justifié" :

189Afin de montrer sa portée initiatique.

190 Il ne peut dès lors symboliquement que monter comme un ballon d'hélium

"***Je comprends par mon coeur AB, je domine mon coeur HATI***".

Notons au passage cette autre relation "miroir" (ou signes inversés, dont les medou neter sont friands) : l'âme est BA le coeur est AB, l'action bénéfique sur l'âme passe donc par un "réveil" du coeur de l'homme auparavant "enfoui" au plus profond de l'humain, tel Amon-Râ dans le Noun.

Il s'ensuit une résurrection d'Osiris[191] en Horus, le fils, le verbe ; "l'involution" cesse pour lui, "l'évolution" commence, pour vaincre la matière (les ennemis de Râ, Seth, Apophis...).

Ceci n'est donc pas une résurrection corporelle, Osiris n'a d'ailleurs lui non plus de phallus, mais une étape préalable et nécessaire à une naissance spirituelle (Hor, Râ, ba, oie, épervier, Phénix...).

Depuis le centre de l'homme retrouvé est alors ouverte (par l'arc, l'échelle, l'arbre, le sommet du crâne, la septième "direction", le rayon de Chou et de Tefnout-Maât,...) la **voie étroite** vers une montée **verticale**, axiale, l'arbre sycomore, la croix,...etc, permettant seule d'obtenir la vraie royauté, la liberté et la délivrance dans la paix.

Ceci trouve des correspondances et analogies dans toutes les Traditions, par exemple dans les Evangiles :

"*Efforcez-vous d'entrer par la* ***porte étroite***" (Luc 13;

---

191 Qui a sacrifié son corps, le corporel, l'animalité, jusqu'à son propre pénis (Horus castre Seth, qui donc est stérile).

24)

"*Le royaume de Dieu est* ***au milieu*** *de vous*"(Luc 17; 21)

"*Si un homme ne* ***naît de nouveau*** *il ne peut voir le royaume de Dieu*" (Jean 3 ; 3)

"*Si vous ne devenez* ***comme les petits enfants*** *vous n'entrerez pas dans le royaume des cieux*" (Matthieu 18 ; 3).

Ce processus de rectification, de transmutation passe aussi, dans la Sagesse égyptienne, par l'identification des deux Ka, qui fusionnent car se "reconnaissent"[192].

L'Être Unique, la Source, est "*iaaou",*[193] Amon dans le Noun.

Dans la création Il se matérialise par un premier ternaire essentiel.

Amon-Râ-Ptah est à cet égard à la fois très explicite, synthétique et conciliateur.

Chaque humain possède en lui son image renversée, son reflet.

ia est l'origine, dans sa double potentialité, mâle-actif et femelle-passive, pôles, *yin-yang...*

192 Le Ka "humain" ayant été par hypothèse rectifié, il ressemble alors au ka "divin", bien mieux ils se confondent.

193Voir *supra* et *infra*

aou est le principe d'expansion, l'espace, le volume et la substance.

Le tout *iaaou* est l'origine de l'Etre, non divisé, avant la dualisation, toute création y réside en potentialité, en virtualité, c'est "l'Être-non-être".

Son reflet, *ikou,* est la puissance de personnification, l'émergence du désir, qui poussera à la dualisation et fera descendre la Substance jusqu'à la matière et l'Etre dans le processus des transformations, ainsi naît l'univers, la création, l'Un-multiple.[194]

elohim

Dès lors, de même dans le microcosme, lorsque le Moi s'oppose au Soi il y a "chute" dans la matière, le corporel, l'animalité, les passions et les défauts en sont le corollaire.

A contrario, lorsque le Moi s'identifie avec le Soi, par l'éveil à la Conscience de Maât, l'état initial, primordial, "l'Eden" est reconquis ; c'est tout le programme des initiés égyptiens.

Il existe donc pour l'homme, image du créateur, une possibilité de retour vers la Source.

Maât est à la fois la plus haute Conscience de l'homme

194Elohim

(microcosme) et l'essence de Râ (macrocosme) ; l'homme devient un rayon de la Maât lorsque ses deux ka (inférieur/supérieur ou humain et divin) sont réunis, lorsqu'il "possède son coeur".

Pour réaliser cela l'homme doit être "maître des feux", son Moi (inek) obéissant, dompté (sens de Soutekh et Apop vaincus).

L'âme solaire, horienne, doit absorber l'âme lunaire, osirienne, ce qui signifie que l'universel doit vaincre le particulier (altruisme/égo) ; l'oeil d'Horus synthétise donc en lui les deux "luminaires".

La possession du ka supérieur permet alors l'union de Râ-Maât, symbolisé par le **troisième oeil** Horien, l'**Uraeus frontal**, la montée du serpent de feu, c'est à dire la naissance au réel, car **Connaissance est Conscience de la réalité, Vérité** (Maât-Daath).

Toute la création est soumise aux Neterou de la nature, **sauf la Source** qui est hors création **et la Conscience**, mais pour cette dernière seulement une fois réalisée.

L'homme a été créé à l'image de Dieu et il existe une âme universelle d'où sont tirées les âmes individuelles, les parcelles divines, et l'âme humaine est un rayon du soleil, de Râ-Maât, soeur de Chou (la Lumière).

La vie est donc le verbe Divin manifesté, la manifestation de l'Esprit dans la matière ; le nombre trois règne partout dans l'univers, et l'Unité est son principe, le 1 sorti du

"0", de Noun invisible.

Mais le Verbe de l'Esprit et sa puissance n'appartiennent qu'à ceux qui ont pu développer la perfection de l'âme, sinon ils plafonnent au mieux dans l'astral (seule le premier abîme est franchi).

L'humain qui atteint l'Esprit est donc **né deux fois**, la seconde fois du Ciel et non de la terre ; il reproduit à son niveau le processus de création par l'Etre-non-être et, dans l'absolu, rien ne lui est désormais impossible car dès lors il se divinise à son tour : "*Je suis Râ, je suis Horus, je suis Maât, je suis Chou"*...etc.

Voici à présent quelques extraits du "Livre pour sortir à la Lumière du jour" (livre des morts), que je considère comme particulièrement propices à des méditations complémentaires relativement à ce qui vient d'être dit :

"*Je suis l'aujourd'hui, je suis l'hier, je suis le demain,*

Je suis l'âme divine et mystérieuse qui autrefois créa les neterou".

"Ce qui vit en moi je le rend manifeste."

"Je deviens le maître de la vie."

"Voici que ***j'entoure de mes bras le sycomore sacré*** *;*

lui en retour m'ouvre ses bras gracieux." (chap. 64)

"Je suis pareil à Noun,

qui se procréée elle-même.

Les pouvoirs mystérieux de mes noms

créent les célestes hiérarchies.[195] *"*

"Je suis hier et je connais demain."

"Je suis le gardien du ***livre du destin***[196]*,*

où s'inscrit tout ce qui fut et tout ce qui sera. *"* (chap. 17)

"Je viens de naître !"

"Je suis Râ, qui rend forts ceux qu'il aime.

Je suis le noeud du destin cosmique,

caché dans le bel arbre sacro-saint. *"*

"Mon visage est celui du disque solaire de Râ."

"Les forces de l'oeil d'Horus circulent dans le bas de mon dos.[197] *"*

"L'oeil d'Horus me confère la vie éternelle".

195 Arbre de vie, sycomore
196 Dossiers de l'Akasha, livre de la Vie, tablettes de Thot.
197Kundalini, énergie vitale

"Je suis Horus qui parcourt les millions d'années".

"j'envoie vers vous le feu de mes rayons,

pour que vos coeurs se tournent vers moi.

Je suis le maître du trône. *"* (chap. 42)

Je citerai enfin un court passage du chapitre 125, moins connu que le passage central du même chapitre relatif à la pesée et à la "confession négative" :

*"**Je me suis purifié de tous les péchés**.*

***Je suis étranger aux imperfections des hommes qui obéissent aux impulsions du moment**.*

Je ne suis pas du nombre de ceux-là !"

"Franchis le seuil ! En vérité je pourrai t'annoncer !

Apprends donc !

Le pain de ta communion,

le vin de ta communion,[198]

et toutes les offrandes qu'on te destine,

sont des émanations de l'oeil de Râ !" (chap. 125)

---

198 Ressemblance frappante avec l' Eucharistie.

Il existe beaucoup d'autres "livres", secondaires dans le "corpus égyptien antique.

Citons par exemple le livre des portes, le livre des cavernes, les litanies de Ré, le livre de la vache sacrée, etc, qui permettent par un nouvel éclairage de compléter encore notre connaissance pour aller encore plus loin.

Quelques précisions sur Akh, Ba et Ka

Ka est une expression de la Substance, un point de fixité pour toute manifestation.

Dans l'homme le Ka est sa signature individualisée ; il se "divise" en deux Ka : le Ka humain et le Ka divin, un "lieu" de lutte dans le coeur entre deux énergies, jusqu'à ce que ces deux Ka "fusionnent" en l'homme, ou plutôt jusqu'à leur "connection".

Ba est le souffle de la vie, venant d'Amon, Ba est autrement dit l'âme humaine, qui erre de corps en corps, au gré des incarnations, jusqu'à purification du Ka, fixité du Djed[199], lorsque il y a éveil de la Conscience, ou encore "tissage d'Horus dans Osiris".

Akh est l'expression de la Lumière[200] spirituelle, qui se diffuse en raison de cette transformation dans l'humain.

199Devenu Djet remarque : **Djed est à la fois la colonne d'Osiris et le mot "parole"**...
200 Chou (ou Shou)

Akh-Ba-Ka sont donc en quelque sorte le triangle, **la trinité de l'homme** en tant que microcosme.

Le yoga égyptien

La kundalini est souvent représentée dans l'Egypte antique par un serpent enroulé dans une iconographie de caducée.

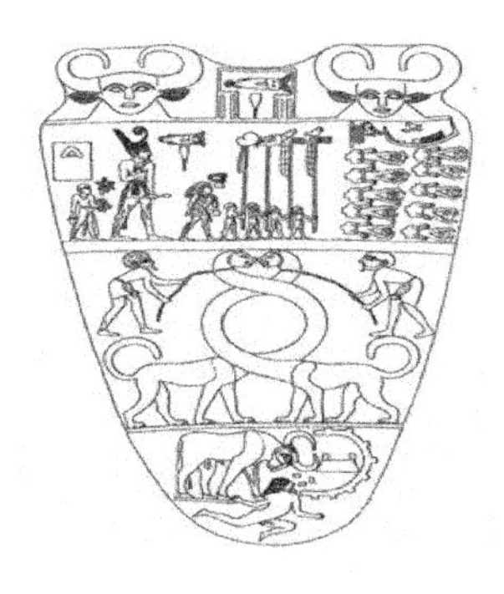

Il est fait mention également, nous l'avons vu, de l'uraeus frontal marquant alors l'éveil et la souveraineté, ainsi que de deux naja marquant la dualité représentée par deux forces cosmiques universelles et complémentaires.

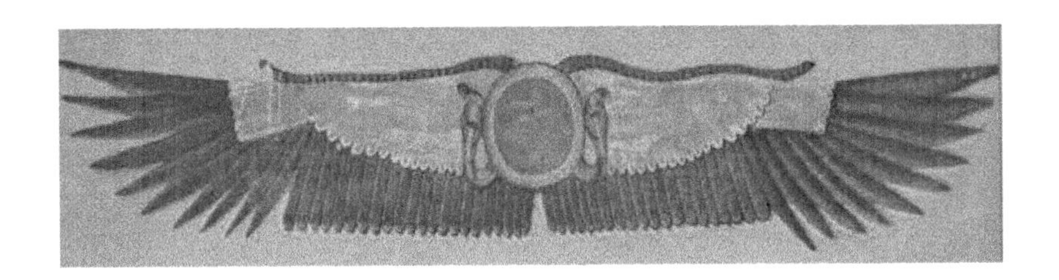

Plusieurs postures de yoga figurent sur des papyrus, artéfacts, dans des bas-reliefs de tombes ou des temples.

Ainsi par exemple la posture du cobra royal, la posture du ka, du chandelier, du scorpion, de l'aigle, la roue renversée, le pont, le diamant, le lotus, la charrue...etc.

Autant de preuves que les égyptiens antiques connaissaient et pratiquaient le yoga qui solicitait la colonne vertébrale, le Djed, lieu de résidence de l'énergie vitale.

Leur yoga avait la caractéristique de faire surtout appel à la verticalité (la plupart des postures s'effectuant debout ou assis).

Le magnétisme

Le Magnétisme (du latin "*magnes*" aimant) est un fluide naturel, vital et énergétique qui permet notamment de soulager, de soigner certains maux.

Il permet de libérer les énergies bloquées à l'intérieur du corps et de les rééquilibrer, de dissoudre les blocages physiques et émotionnels, d'apaiser les souffrances psychiques.

Le Magnétisme redonne de l'énergie, relaxe, détend, apaise.

Prolongement de leur connaissance des énergies circulant le long de la colonne vertébrale, les égyptiens antiques avaient la capacité de soigner les lésions du corps et les désordres énergétiques ; le magnétisme faisait donc partie de leurs pratiques médicales à part entière ("frictions", "passes", "impositions", "insufflations").

Dans le célèbre papyrus Ebers, traitant de médecine il est mentionné : "*Pose la main sur la douleur et dit : Que la douleur s'en aille !* "

Par ailleurs, les prêtres embaumeurs magnétisaient les bandelettes des défunts.

Un passage du livre des morts précise : "*Je place les mains sur toi Osiris, pour ton bien, pour te faire vivre*".

Dans les rituels, liturgie et théurgie, le "signe du Ka" et le "doigt d'or" font appel aux énergies et au magnétisme.

La lithothérapie

La lithothérapie était utilisée en complément des soins

énergétiques, les égyptiens connaissant les correspondances des couleurs, les vertus des pierres et en faisaient des amulettes, bijoux et talismans puissants.

On peut dénombrer une liste (certainement non exhaustive) des pierres employées, par exemple : Agate (gris), Améthyste (violet), Aventurine (verte), Amazonite (bleu), Calcédoine (bleu), Cornaline (rouge), Cristal de roche (transparent), Hématite (gris anthracite), Jade (vert), Jaspe (rouge), Lapis-lazuli (bleu foncé), Malachite (vert), Oeil de tigre (brun), Turquoise (bleu-vert),..., qui étaient utilisés pour des bijoux, des incrustations, du maquillage, des élixirs, des peintures, ou des amulettes.

Couleur	**Nom égyptien**	**Pierre / métal**
Noir	Kem	Obsidienne, Galène, Hématite , oeil de tigre (brun)
Blanc	Hedj	Cristal de roche, albâtre
Bleu nuit	Khesbedj	Lapis lazuli
Bleu	Irtyu	Amazonite, calcédoine
Vert, turquoise	Wahdj, mefkaht	Malachite, jaspe, émeraude, turquoise
Jaune	Khenet	Citrine

Or	Newb	Or
Rouge	Deshrt /Jenes	Cornaline/Jaspe
Argent	Hedj	Argent
Violet	Hesemen	Améthyste

CHAPITRE TROISIEME : LA PLACE DE LA SAGESSE EGYPTIENNE AUJOURD"HUI

La Sagesse égyptienne est universelle et touche à la Vérité intemporelle puisqu'elle se rattache à la **Tradition primordiale**, ce "PPCM métaphysique" se retrouvant dans toutes les civilisations anciennes depuis la nuit des temps[201] pour former cette science sacrée, patrimoine commun à l'humanité toute entière.

201 Aux cotés des Traditions de la Chine, de l'Inde, et de bien d'autres *cf. supra*

Aussi, bien que véhiculée par une civilisation officiellement aujourd'hui disparue, nous sommes devant un fait apparement paradoxal, mais qui ne l'est finalement pas, compte tenu de tout ce que nous avons dit précèdement :

Le message de l'Egypte antique n'est pas mort, il est même bien vivant car **la Vérité métaphysique est Une** et touche justement à tout ce qui est imperrissable et reconnu comme tel par des Sages qui se sont succédés, en tous temps et en tous lieux et proposent la même synthèse.

La Tradition primordiale se retrouve donc à travers diverses Traditions locales, comme des branches, qui ont essaimé, s'imprégnant au passage de caractéristiques régionales et véhiculées à travers des symboles, cosmogonies particulières, prenant des couleurs civilisationnelles, mais dont **l'essentiel du message est partout identique.**

Ainsi par exemple, les similitudes entre le christianisme des Evangiles et la Sagesse égyptienne sont frappantes.

Sir E.A.Wallis Budge, un égyptologue Britannique et conservateur du département égyptien au British Muséum, connu notamment pour avoir traduit le papyrus d'Ani du Livre des morts, mais également membre du "*Hermetic Order of the Golden Dawn*" l'a relevé.

Il écrit dès la préface d'un de ses livres "*The Gods of the egyptians*" (METHUEN & Co London 1904 p 15-16) :

"Kings and priests from time to time made attempts to

*absorb the cult of Osiris into religious systems of a solar character, but they failed, and Osiris, the mangod, always triumphed, and at the last, when his cult disappeared before the religion of the Man CHRIST, the Egyptians who embraced Christianity found that the moral system of the old cult and that of the new religion were **so similar**, and the **promises of resurrection and immortality in each** so much alike, that they transferred their allegiance from Osiris to JESUS of Nazareth without difficulty.*

*Moreover, **Isis and the child Horus were straightway identified with MARY THE VIRGIN and her SON,** and in the apocryphal literature of the first few centuries which followed the evangelization of Egypt, several of the legends about **Isis** and her sorrowful wanderings were made to centre round the **Mother of CHRIST**.*

Certain of the attributes of the sister goddesses of Isis were also ascribed to her, and, like the goddess Neith of Sais, she was declared to possess perpetual virginity.

*Certain of the Egyptian Christian Fathers gave to the Virgin the title "Theotokos," or "**Mother of God**," forgetting, apparently, that it was **an exact translation of neter mut**, a*

very old and common title of Isis.

mut (+ntr)

Qu'est-ce que la Kabbale ?

1.Version pour les débutants :

Pour toutes celles et ceux qui ne sont pas habitués à l'environnement de la Kabbale, je vais donner ici quelques explications de base, pour les autres, les kabbalistes, je vous renvoie directement *infra* pour une partie plus adaptée aux "avancés".

La Kabbale touche au domaine de la métaphysique, c'est à dire à tout ce qui est au-delà du physique[202], "*invisible pour les yeux*" (comme disait Antoine de Saint-Exupéry), afin d'appréhender ce que sont les Lois Cosmiques, la création, la Vie, à travers l'empreinte divine, de Dieu, du Créateur, la Puissance ultime, le grand architecte ou de toute autre façon que vous voudrez bien le nommer, en fonction de votre propre culture spirituelle, religieuse ou magique.

La Kabbale hébraïque fait partie de la Tradition juive, selon laquelle il y a eu dix émanations lors du processus de création.

Au départ il y a un Dieu caché, que l'on ne nomme pas, mais qui parfois se nomme lui-même lorsque des prophètes comme Moïse l'interrogent ; mais alors sous le nom adapté, substitué, qu'il veut bien donner, afin de symboliser le fait que l'Esprit pur est inconnaissable directement, puisque caché (hors création) aux créatures, parce que les vibrations sont à des niveaux différents.

---

202 Cf *supra* pour une définition de la métaphysique

Dès lors on ne peut pas le nommer, car nommer c'est créer, et le créateur ne se crée pas, il se crée lui-même, personne ne peut le créer ou être son égal.

Cela rappelle la question "*Quis ut Deus ?* " de l'Archange Saint Michel (M-I-K-A-L) gravée sur son bouclier, parole prononcée devant Lucifer, parce qu'**il portait la Lumière, mais s'est cru la Lumière** (pouvoir prendre la place de Dieu) et fut donc précipité dans les enfers avec ses légions déchues.

La créature est soumise, liée à son créateur, dans le sens où elle doit éprouver spontanément et sincèrement de la gratitude envers le Père, la Vie, les Lois et le démontrer en faisant siennes les lois de la création qui ont été édictées par Lui et se rendre utile.

La Kabbale indique que ce Dieu caché, "un jour" (pour expliquer, car cela s'est passé spontanément, en continuité et non en tranches temporelles, car l'Esprit est en dehors de la création et l'espace-temps est inérant à la création ; il n' y a pas de temps hors d'elle, il y a l'éternité au sens de "l'être-non-être"), donne l'impulsion, appelé souffle, parole, Lumière, intervention, verbe, acte créateur.

Dans ce que les égyptiens appelent le Noun, "océan primordial " (qui n'est pas de l'eau au sens physique mais des ondes, de l'énergie latente) la volonté Divine a fait émerger, percer la Lumière et grâce au Verbe-Créateur, **la parole sacrée**, qui fait **passer la puissance en acte**, il a créé les conditions, le programme, de la Vie.

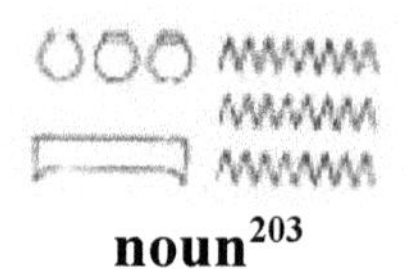

noun[203]

Il le fait en dix paroles, dix souffles, dix émanations, dix vases, réceptacles, dix sphères, dix sephiroth, pluriel de sephira).

On peut dès lors, grâce à cette trame au niveau macrocosmique, c'est à dire à l'échelle de l'univers, connaître les qualités divines et fonctions divines.

Il existe un ordre, une hiérarchie descendante, "du ciel vers la terre", de ces émanations et fonctions divines, ce qui permet de les représenter schématiquement, sur **un "arbre"**, avec leur nom, depuis la première en haut Kether (la couronne) jusqu'à la dernière Malkuth (le royaume), et leur associer notamment des correspondances angéliques.

Ainsi la sephira Kether est souvent associée à l'Archange Metatron, parfois lui-même identifié au prophète Enoch, "*qui a vu la face de Dieu*", tandis que la sephira Malkuth est souvent associée à l'Archange Sandalphon, Tiféreth à saint Michel, etc.

On peut aussi retrouver ces signatures de la création cette fois au niveau microcosmique, c'est à dire dans l'homme, puisqu'il a été fait "*à l'image de Dieu*" ; ce qui signifie symboliquement qu'il est un reflet du Divin, qu'il en possède les fonctions en tant que créature, ce qui est de conséquence

203 Notons la présence d'ondes, mais aussi **des vases** au dessus du ciel.

éminement pratique.

C'est d'ailleurs pourquoi certains feront correspondre l'arbre de vie (c'est à dire ce schéma des 10 sephiroth) avec un autre schéma d'une autre Tradition, l'arbre des Chakras, qui sont des centres énergétiques disposés le long de la colonne vertébrale, émetteur-récepteurs de l'énergie vitale (kundalini).

Derrière cette notion de **kundalini**, nous l'avons vu, on retrouve le symbole égyptien du **Djed** ainsi que l'**Uraeus** frontal et l'oeil **Oudjat**.

Au niveau pratique, ce qui est en haut étant comme ce qui est en bas, c'est à dire le ciel est reflété sur la terre, nous retrouvons dans l'humain ce même schéma sephirotique.

On va donc pouvoir à la fois travailler sur le macrocosme, par exemple en méditant sur les signatures divines et leurs symboles, et sur le microcosme, en travaillant par exemple sur ses défauts, en cultivant la vertu (les égyptiens diraient la Maât), son intuition, la visualisation mentale, le magnétisme, en réveillant puis développant et fortifiant ses chakras et la kundalini, etc... (cf. notamment les ouvrages de Franz Bardon en ce sens dans la bibliographie pour un exemple d'élaboration d'un programme d'entrainement solide au quotidien).

On a dit que lors de la création, l'énergie divine, les émanations et fonctions sont "descendues" dans la manifestation, du plan le plus subtil à la matière brute, du ciel vers la terre, en vibrant de plus en plus lentement.

Le but des kabbalistes, mais aussi de tous les praticiens de la Tradition primordiale, sera donc de faire le chemin inverse (de la terre vers le ciel) afin d'obtenir la Connaissance, la Vérité et l'immortalité, en ne faisant à terme plus qu'Un avec le Macrocosme par un processus de fusion-union Spirituelle avec la Source-Origine.

On retrouve le symbole du paradis perdu, de la chute d'Adam et Eve, du royaume des morts d'Osiris, nécessitant de mettre en place un processus de "réintégration".

On va rechercher un "**retournement**" volontaire au niveau de Malkuth, **pour enrayer la "chute"** et remonter progressivement l'arbre dans le sens ascendant, "passer de la lune au soleil", quitter petit à petit le monde dualiste en travaillant sur ses défauts et devenir transparent comme le cristal ; les égyptiens diraient afin de recouvrir à terme l'usage de ses deux yeux.

En n'étant plus opaque nous pourrons laisser passer cette Lumière qui est déjà en nous, au fond de nous (dans notre coeur) et qui ne demande qu'à surgir à son tour de notre propre Noun (pour passer de la potentialité à l'action).

Dès lors, **tout ce qui pousse à l'unité est bénéfique** (les égyptiens diraient Horien) tandis que **tout ce qui l'en empèche**, voire maintient la force vitale au niveau de l'animalité humaine, (la non maitrise des passions, l'exaltation disproportionnée des sens externes du corps[204], les défauts traumatisant, l'égoisme et son corrolaire le retrait de la sphère sociale) **est mauvais** (**"**Séthien").

204 Que l'on doit maîtriser, transmuter, mais non supprimer car le corps est un temple qu'il faut aimer, soigner, respecter

L'arbre des sephiroth va aussi avoir une application pratique en magie cérémonielle, c'est à dire dans des rituels de ce qui est également appelé la haute-magie ou théurgie, qui permet à l'opérateur petit à petit de se rectifier, de s'améliorer au quotidien, d'équilibrer et transmuter son énergie, de développer ses dons internes, d'améliorer sa santé physique et psychique et la qualité de connection spirituelle, de retrouver l'unité, d'abord en lui et à terme avec le Créateur en acquérant la Connaissance, en l'appliquant et en la transmettant à son tour.

Les rituels devront respecter ces forces, ces puissances cosmiques, il convient dès lors au préalable de bien les assimiler.

Le Maître, le Mage est celui qui connait parfaitement toutes les Lois Cosmiques, leurs correspondances et leurs applications pratiques, et les applique dans sa vie quotidienne et dans ses rituels sur les plans microcosmique et macrocosmique.

2. Version pour les plus avancés :

L'arbre de Vie de la Kabbale est connu comme l'arborescence qui **développe les fonctions divines universelles (présentes à la fois dans le macrocosme et le microcosme).**

De Kéther, en Malkuth, ces émanations divines sont **canalisées au sein de dix Séphiroth** (réceptacles, **vases,** paroles) : Kéther, Chokmah, Binah, Chesed, Guéburah, Tiphareth, Netzach, Hod, Yesod, Malkuth ; la onzième séphirah Daath n'en étant pas vraiment une, puisqu'en devenir, conditionnée, explorée seulement par un travail de synthèse et d'acquisition de la Conscience, par confondement et transmutation, permettant un retour de la Dualité du Royaume (terre) à l'Unité (Ciel).

La Kabbalah (tradition) est présentée comme étant de tradition juive : Cela est vrai au regard des écrits historiques de référence à partir du IVème siècle puis du XIIème siècle, utilisés par les Kabbalistes hébreux (Séfer Raziel, Séfer Razim, Séfer Yetsirah...).

Cependant, lorque l'on étudie attentivement les concepts dans les détails, on constate dans ces écrits eux-mêmes, la transcription d'une transmission orale bien antérieure, avec des influences néoplatoniciennes, babyloniennes et égyptiennes antiques[205] omniprésentes en toile de fond.

Concernant les influences égyptiennes sur les hébreux, ce qui nous intéressera particulièrement ici, notons le **Dieu au nom ineffable et caché**, l'**importance des noms**, des **portes**, des **gardiens**, de la **Lumière**, un **Dieu à la fois Un et multiple**, **masculin et féminin** (Elohim), iaaou[206], la **chute dans la matière** et la **possibilité du retour** pour l'humain **vers la Source en travaillant sur Soi**, notamment sur les vertus et qualités pour espérer inverser la tendance, la **circoncision**[207], la

205Et en fin de compte essentiellement Egyptienne puisque l'Egypte a elle-même influencé toutes ces doctrines.

206Nom égyptien de l'Etre

207Pour raison hygiénique sous ces latitudes concernant les égyptiens.

terre promise, le **peuple élu**, le **déluge**, la **nuée**, le **souffle**, **Urim et Thummim** (Lumière = Chou et Vérité = Tefnou, Maât), la racine commune de nombreux mots et enfin les **cosmogonies** et l'**arbre de vie** ou arbre séphirothique.[208]

De l'arbre de vie au sycomore sacré

Les égyptiens font régulièrement état aussi d'un arbre sacré : **Le sycomore, qui donne la nourriture et la Vie**[209].

Dans les cosmogonies locales ou nationales de l'Egypte antique, il faut citer les énnéades ; plusieurs auteurs récents[210] ont tenté à partir d'elles, notamment celle d'Héliopolis, de rechercher des correspondances afin de retranscrire un arbre de vie pûrement égyptien.

Cependant, après avoir étudié et médité moi-même longuement sur le sujet, je ne suis pas pleinement satisfait par ces premiers essais et tentatives, qui ont au moins le mérite d'exister, pour des raisons à la fois de logique, de correspondances symboliques, d'intuition et de respect des fonctions ou émanations divines universelles, telles que présentées dans la Kabbale et surtout dans les textes égyptiens et les fonctions des neterou, souvent forts complexes voir parfois apparement contradictoires.

Chacun est libre, mais pour ma part j'ai pensé nécessaire de rechercher autre chose, une propisition alternative, plutôt

---

208Liste non exhaustive

209Cf aussi la conception par Nout encore vierge (cela ne vous rappelle-t-il rien ?) sous le sycomore interdit.

210 De diverses horizons, d'Anton Parks à Aleister Crowley

qu'un calque de l'énnéade d'Héliopolis, et pour cela faire appel aux outils de la Tradition primordiale.

Je suis donc aujourd'hui pleinement convaincu qu'il faut donner la primauté au triptique Amn-Râ-Pth et considérer le but ultime du parcours Osirien (le notre en fait) sous l'aspect d'un éveil grâce au chemin d'Horus et de Maât.[211]

C'est pourquoi, après avoir étudié de près la problématique sur les plans théorique et pratique, je suis aujourd'hui en mesure de vous proposer un nouvel arbre que je vais à présent vous présenter.

Il me semble en effet un système plus juste, car à la fois cohérent et fidèle aux correspondances diverses, logique au niveau des fonctions et respectueux de la symbolique et métaphysique égyptiennes.

Dans ma proposition, **Amon (*Amn*) est l'être non-être** cher à René Guénon, le zéro métaphysique, Ein soph aour, qui n'est pas rien mais, au contraire, **le tout en potentialité dans Noun.**

Il Est et demeure en dehors de l'arbre, car **non manifesté,** Esprit, Intelligence pûre, mais il est fondamental de le mentionner pour la cohérence globale du "système" car **tout vient de Lui**, il est le "père des Dieux" et donc aussi le père de l'arbre, "l'Esprit pûr", la "Source originelle", celui qui donne la Vie par le "souffle".

Kéther est la séphire première sur l'arbre kabbalistique,

---

211 Cf mes développements sur ce point *supra* et aussi *infra*.

celle qui est à la fois dans et hors de l'arbre (c'est en partie pour cela que les hébreux disent que **Kether-Hénoch a vu la face de Dieu**).

Par là il faut comprendre qu'une face "regarde" vers la Source, l'autre, grâce au *tsim tsoum* diraient les Kabbalistes, est la première impulsion de l'émanation, mais au niveau archétypal

C'est pourquoi il est dit que Kéther est comme le soleil, il éclaire le monde de sa lumière "sans se salir".

Si Amon règne sur l'invisible, Râ est donc le premier Neter de la manifestation, il est Kéther.

D'ailleurs Amon le caché est souvent rencontré sous le **binôme Amn-Râ**, binôme clairement révélé à partir du Nouvel Empire, pour des raisons de timing astronomique (CMD) et qui symbolise le lien direct entre le "zéro" et le "Un".

Il semblerait que les différentes Enneades et Octoades Cosmogoniques expliquant la création ne sont pas des tatônnements, erreurs de casting, ou fruits de la concurrence de Temples, mais derrière elles, tout en respectant les croyances populaires locales, on veut nous monter toujours la même symbolique ainsi que l'importance du concept de "**Trinité**" (également pour les chrétiens) dans la manifestation. ; et leur synthèse fait ressortir justement la **primauté** de trois "acteurs" : **Amon, Râ, Ptah.**

Plus précisement, le **Dieu Unique** est **TROIS EN UN**, ce qui rappelle la Trinité chrétienne, les élohim des hébreux (puisque les émanations sont multiples) et en l'occurence Amon-Râ-Ptah est la Trinité Divine égyptienne la plus importante, c'est donc elle qui sera au sommet de notre arbre.

Amon ne peut donc pas être, dans ces conditions, dans une des ramifications de l'arbre, comme je l'ai parfois vu.

Ouser (ou Ousir), c'est à dire Osiris, est le personnage central du devenir microcosmique, le symbole de tout humain qui doit stopper sa chute en Malkhut et ressusciter du Royaume des morts, c'est à dire **s'éveiller au sens initiatique du terme** : il n'y parviendra qu'avec l'aide de son "fils" Horus (émanation de Râ) et en appliquant la Maât (fille de Râ), première étape.

Notons aussi que les Neterou sont tous "fils de", "soeur de" ou "épouse" de Râ : cela signifie aussi qu'**ils en sont l'émanation**, et donc les représentations suivantes et "inférieures" de Râ dans l'arbre, et in fine issus du triptique Amon-Râ-Ptah, Amon étant le père de tous et Ptah jouant un rôle majeur (compréhensible de part sa position sur le sycomore sacré ou arbre sephirotique).

Hoch'mah est la seconde séphirah de l'arbre de vie hébraïque et donc je l'assimile à Ptah (la Trinité Thébaine, synthèse de sagesse, étant ainsi établie dans l'arbre).

Et cela est doublement correct puisqu' il est dit que Ptah est le moteur secret de la Vie, le **principe mâle universel**, qui **unit les semences auxquelles Amon-Râ a donné son souffle**, il est le **feu créateur** en toutes les possibilités et fonctions, l'esprit créateur actif (selon J.F. Champollion lui-même).

Binah est la troisième émanation divine, le Neter correspondant est Aset (Isis), qui va donner **substance** en tant que **matrice mère universelle** à tout le reste, à toutes les autres fonctions émanées par la suite, sous l'impulsion du moteur de vie mâle **Ptah**, qui **l'engendre éternellement**, permettant la continuité de la Création : Elle est donc aussi ici **la vierge Marie** des chrétiens.

L'équivalent de Chesed est le Neter Min, son apparence est très masculine (phallus dressé), avec d'autre part un coté très "**jupitérien**" ; Jupiter/Min était d'ailleurs le "fils" de Saturne et donc nous retrouvons bien par analogie "la filiation saturnienne" d'Aset qui est la Séphire précédente.

Avec son don de foudre, symbole de la **puissance de la nature** (Minou = "**la foudre** de Min") il représente en outre le **géniteur qui fertilise la nature** sous toutes ses formes et qui **protège.**

Gueburah = Soutech = Seth ; mais que fait-il ici pourrait-on objecter ?

Il n'est plus ici le Seth "assasin d'Osiris", mais la force domptée au service de Râ, ce qui explique qu'il ait pu réintégrer la barque, et même harponner Apop avec sa lance de fer (métal martien), qui prouve son allégence et la mise à disposition de son énergie martiale pour construire à présent et non plus au service de la destruction.

Mais sa position sur le pilier montre aussi que cette place n'a été conquise que grâce à un équilibre subtil des force obtenu au prix de grandes batailles.

Tiféreth = Her (Horus) Le chemin de la Connaissance est humilité, simplicité, **ouverture du coeur**, intuition et confondement, par méditation et **communion mystique** avec la Cause.

Her est l**e verbe de Râ et sa Lumière** qui descend puis qui remonte une fois fusionné avec le coeur de l'homme, rayon de Maât ; on retrouve aussi la symbôlique de l'Archange Saint Michel dans son armure dorée, porteur du verbe Divin, prototype du guerrier de Lumière qui s'en sert pour chasser les démons (maîtriser les passions et applique donc la Maât, dont il a l'attribut : la balance du jugement dernier). Il reçoit la Maât, les Lois cosmiques et restitue la Maât en "offrande".

Il représente la poussée libératrice, les forces de l'amour altruiste vainqueur des forces égocentriques Sethiennes ; il est donc pleinement solaire c'est **l'homme réalisé** qui peut voir Râ en face sans être détruit (**Her = face**, figure) sans faiblir ni être aveuglé (**le faucon** a une vue perçante symbole de troisième oeil, mais aussi vole très haut, symbole céleste, et peut voler dans la direction du soleil sans en souffrir, symbole du pouvoir de réintégration de la Source).

Netzah = Het-Her (Hathor), Neter qui est **le miroir du verbe**, la maison de Râ par l'entremise d' Horus (Het-Her veut dire **Maison d'Horus**) ; Hathor représente les sens mis au service de la beauté et de la grâce (le geste juste, l'attitude juste), dans des activités conformes à la Maât et à Heka (musique, danse), la beauté, la séduction mais dans son but positif fécondateur.

Hod = Djehouty (Thot) est **la langue de Ptah et le scribe de Maât**. L'Hermès-Trismégiste des gréco-romains puis des hermétistes. Nous avons bien la fonction mercurienne de Thot qui est "le **messager de Râ**"par la **parole magique** et l'**écriture** des medou-neter.

Par ailleurs Frédéric Portal[212] rappelle que : "*Thot se voit attribuer le nombre 8, selon Salvolini*".

Thot est aussi en effet surnommé le "chef des huit" car sa ville d'origine Hermopolis est *Khemenou* qui signifie "la ville des huit".

Yesod est Inpou (Anubis), car afin de réveiller Ouser (Osiris), il est nécessaire de **transmuter les puissances destructrices** en force de Vie.

Son symbole est en effet le **chien noir du désert** et des tombes : en détruisant le destructible, les "cadavres", les défauts, il fait apparaître l'indestructible, le divin.

Anubis symbolise donc la digestion et a une sensibilité (Iah, la lune est le miroir du soleil) ; il aide (avec Thot, lunaire aussi) à franchir la terre par le haut pour connaître **l'astral**, premier pas essentiel pour développer ses dons internes et "initier" la première impulsion vers le retour à la Source.

Malkuth = Ouser (Osiris) Celui qui veut s'éléver doit chercher la base dans la caverne, en l'occurence la Douat, le royaume des morts.

---

212 In Les symboles des égyptiens comparés à ceux des hébreux Paris Librairie Orientale 1840 p 15

On n'est jamais plus près de la Lumière que dans les plus profondes ténèbres.

Le Neter personnel ne peut se trouver qu'au fond de Soi, dans le coeur de l'homme.

Prototype du rédempteur (en devenir) par l'entremise de son Fils (Horus), une fois les attributs mortels dégagés par Anubis et la "belle aux bois dormant" réveillée, il ne restera que ce qui est immortel et ce **coeur-centre** sera alors "visible", identifié, ainsi que notre mission qui est de gravir l'échelle pour se libérer : "*Osiris est hier, Râ demain*" (tombe de la reine Nefertari et Chap XVII du LM).

Quant à Da'ath, elle est représentée ici par le Neter Maât, fille de Râ car seule la recherche intérieure donne **la Connaissance**. Elle est aussi l'équivalant du Saint Esprit dans la Trinité chrétienne.[213]

Qui connait les Hepou, les Lois universelles, est sur la voie de Maât, celle de Justice (la balance) et de Vérité (la plume sur sa tête).

Il faut avant cela "donner" son Moi afin de connaître le Soi ; ce qui suppose maîtriser les symboles et analogies, y compris les nombres, l'astrologie **et surtout appliquer ce que l'on Connait** dans toutes les paroles et actes de sa vie terrestre, sans quoi les portes des "champs-Elysées ne peuvent réellement s'ouvrir.

Maât relie l'humain au Divin, mais seulement une fois

213 En ce sens, J.Assmann in "Maât, l'Egypte pharaonique et l'idée de justice sociale " La Maison de Vie (1999) p 124

Ouser définitivement réveillé (par ses **deux Ka unifiés**) alors l'Horus humain et Divin (l'intermédiaire, le rédempteur) peut enfin prendre son envol en emportant l'âme (le ba) ; le rayon de Râ-Maât peut alors de nouveau passer comme la Lumière à travers un cristal de roche, l'homme en question n'étant plus "opaque" mais transparent.

En résumé nous avons donc : Amn=Amon (0 "*Ain soph aur*" hors de l'arbre), Râ (1 Kether), Ptah (2 Hochmah), Aset = Isis(3 Binah), Maât (11 Daath), Min (4 Chesed), Soutech = Seth (5 Gueburah), Her = Horus (6 Tifereth), Het-Her = Hathor(7 Netzah), Inpou= Thot (8 Hod), Djehouty = Anubis(9 Yesod), et Ouser = Osiris (10 Malkuth).

Voici un tableau récapitulatif :

Séphirah (hébraïque)	Neter (égyptien)	Vertu/fonction (kabbalah)	Correspondances "planétaires" (occident)	Correspondances chakras (orient)
Kéther	**Râ**	Le Père et la Mère en UN, Archétype	_	Violet / Blanc
Hochmah	**Ptah**	Le Père, la Sagesse, Archétype	_	Indigo
Binah	**Aset** (Isis)	La Mère, l'Intelligence, Archétype	**Saturne**	Indigo
Chésed	**Min**	Miséricorde, récolte, fertilité, protecteur	**Jupiter**	Bleu
Guéburah	**Soutekh** (Seth)	Sévérité, force brute, stérilité	**Mars**	Bleu
Tiphereth	**Her** (Horus)	Le Fils, le Verbe, Beauté, Transmutation	**Soleil**	Vert
Netzah	**Het-Her** (Hathor)	Victoire, Instinct, Emotions, sensualité	**Vénus**	Jaune

Hod	**Inpou** (Thot)	Gloire, Magie	**Mercure**	Jaune
Yésod	**Djehouty** (Anubis)	Fondation, les Formes, l'Astral	**Lune**	Orange
Malkuth	**Ouser** (Osiris)	Le Royaume, Plan Physique, "le tournant ou la mort", le libre arbitre	(Terre)	Rouge

Tableau des correspondances Egypte, Kabbale, astrologie

Ce qui donne l'arbre de vie ou plutôt le Sycomore sacré suivant :

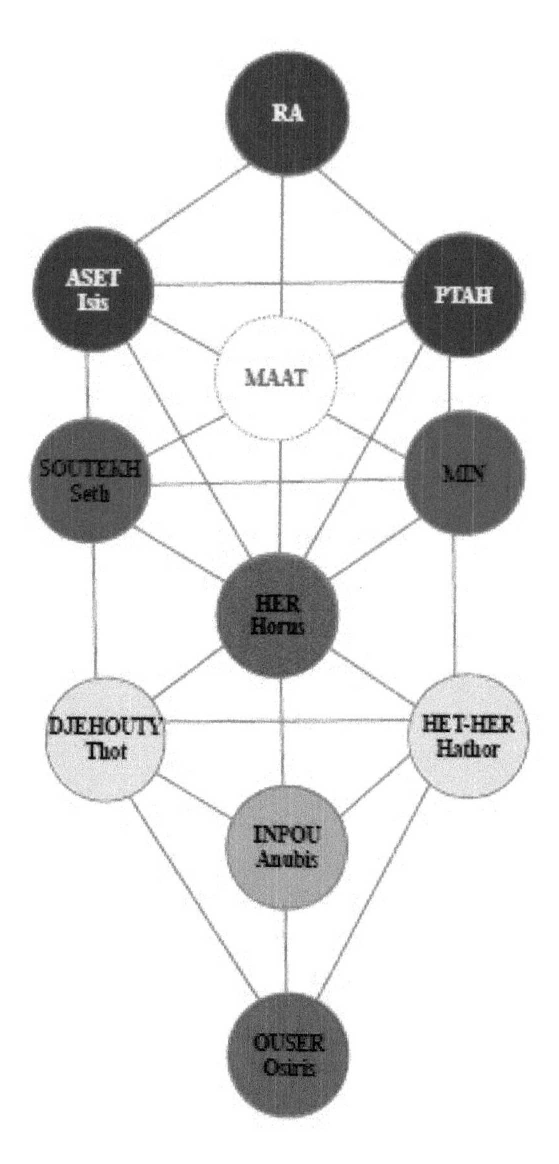

Arbre de Vie - Sycomore Sacré égyptien

<u>**TROISIEME PARTIE : UN SYSTEME MAGIQUE EGYPTIEN**</u>

"J'apparais faucon doré sortant de son œuf. Je plane et je vole étant faucon, ayant le dos de quatre coudées de longueur. Mes ailes sont en perles. Je sors de la chapelle du bateau du Soleil vespéral, et quand on m' apporte mon cœur des montagnes orientales, je descends au bateau du soleil matinal."

"Je suis Horus le seigneur de la Lumière, le victorieux, l'héritier du temps infini, celui qui connait les voies du ciel".

Nous venons de partager ensemble tout au long de ces deux premières parties beaucoup de temps et d'informations sur la civilisation pharaonique et le coeur de sa Sagesse.

Ces étapes étaient nécessaires, afin de ressentir la Connaissance égyptienne **de l'intérieur**.

J'espère que cette "quête" vous a plu, j'ai pour ma part été ravi de partager ces moments avec vous et ai trouvé ces instants passionnant, me permettant également par le verbe de mettre au clair et rassembler tout ce qui était au préalable dans ma tête ou éparpillé dans de nombreuses notes et documents.

Ce ne fut pas facile par moments d'écrire avec des mots limités ce qui est indéfinissable ; si malgré tout j'ai été clair et compréhensible pour le lecteur, ma tâche n'aura pas été vaine.

Cependant ceci n'est pas un aboutissement mais bien un début (*initium*) ; nous somme à présent sur le chemin (*in iter*), il nous faut appliquer le programme et, si le coeur vous en dit,[214] arpenter le chemin, et le plus loin possible !

Vous avez à présent à votre disposition, si vous le souhaitez, rassemblés des outils variés (symboles, nombres, correspondances, arbre, textes) pour suivre votre propre chemin, que d'ailleurs chacun ne peut suivre que seul, si toutefois la méthode égyptienne initiatique vous a séduit.

Etant pour ma part praticien, je ne pouvais que vous inviter à passer vous aussi à la pratique, dans cette troisième et dernière partie de l'ouvrage.

214 Au sens propre comme au figuré !

En effet, et aux vues des deux parties qui précèdent, il est tentant de vouloir proposer un "système égyptien" utilisable et efficace pour la magie cérémonielle au XXIème siècle, sans trahir la Sagesse Egyptienne, mais, au contraire, en la mettant en valeur et à l'honneur en la pratiquant et en s'intégrant notamment à un **égrégore très puissant, qui a opéré durant des millénaires**...

S'ateler à cette tâche n'a pas pour but de proposer le nième système simplement pour le plaisir.

Si j'ai oeuvré à ce livre pour partager avec vous ma passion de l'Egypte, c'est que le Foi et l'authenticité sont présentes, ainsi que la recherche de la Vérité : La "poussée du Neter" est bien là.

A supposé que nous l'ayions approchée ensemble en acquérant la connaissance nécessaire, inscrite sur les pages précédentes, du moins en en transmettant les clés essentielles, il apparait presque alors comme un devoir de faire vivre ces concepts, afin de passer de la Connaissance pure et "intellectuelle" abstraite à une pratique concrète, dans un but noble aidant à l'élevation de nos âmes.

Cela me semble finalement d'autant plus nécessaire que nous avons pu voir ces deux derniers siècles, en occident, plusieurs tentatives et propositions plus ou moins fructueuses et parfois douteuses, dans le sens de non conformité à la Maât.[215]

C'est pourquoi cette tâche, bien que très stimulante,

215 Je pense notamment à la doctrine "égyptianisée" d'Aleister Crowley, qui n'a amené personne à la Lumière de Râ.

nécessite surtout beaucoup de rigueur et de sérieux et doit bien entendu se conformer aux Lois de la Maât, aux Lois Cosmiques, respecter les symboles, correspondances et analogies auxquels tenaient tant les Sages d'Egypte.

Les rituels seront donc à la fois sobres quant à la forme (pas de vêtements pompeux ou de matériel qui brille pour briller, le strict nécessaire et authentique : quelques artefacts, encens, parfums, gestes, offrandes....

Quant au fond cependant, il importera particulièrement que le contenu soit d'un grande richesse et pourvu d'une grande authenticité quant aux mots employés et prononcés, quant aux incantations, évocations, invocations, demandes,..., tout ceci également dans un souci d'efficacité !

Si l'application des concepts de la tradition égyptienne dans des rituels magique vous motive ou vous intrigue, suivez moi à présent dans cette troisième et ultime partie ; c'est celle que je trouve, pour ma part, la plus passionnante car concrète et nous amenant à devenir nous-même des acteurs.

Dans un premier chapitre nous traiterons donc tout ce qui concerne la forme, la préparation pour rendre notre autel, *occultum* (ou plutôt temple) opérationnel.

Dans le second chapitre je vous proposerai les bases d'un rituel général, développé comme support de notre pratique régulière magique égyptienne (héka).

Tandis que dans le troisième et dernier chapitre, des propositions d'aide au quotidien seront mises à votre disposition à travers divers exemples de rituels spécifiques et varié

CHAPITRE PREMIER : MATERIAUX, INGREDIENTS, DECORATION, GESTUELLE

La première chose à envisager, lorsque l'on souhaite pratiquer la magie égyptienne, ou toute autre magie d'ailleurs, est de trouver d'abord **un lieu**, au calme et à l'abri du voisinage.

L'idéal est de dédier **une pièce** chez vous à votre pratique, mais si cela vous est impossible question place, **une table basse** du style pour un salon, de taille carrée ou rectangulaire, fera très bien l'affaire et l'on optera alors pour un autel "mobile".

Si elle est carrée, 60X60 cms est correct, de même que 100X50 dans le cas où elle est rectangulaire.

Il s'agira alors d'un autel itinérant et non permanent, que vous installerez pour vos opérations et désinstallerez une fois celles-ci finies.

Vous l'orienterez **vers l'est** lors de vos opérations : Ce sera votre *occultum* (espace de travail magique).

Bien que l'occultum se doive de rester sobre, nous utiliserons bien entendu divers ingrédients et objets de décoration, car l'essentiel doit figurer sur notre autel, mais rien que l'essentiel.

Nous l'avons vu, les égyptiens utilisaient de l'**encens**, des **parfums**, de l'**eau** consacrée, des vases à **feu**, des aspersoirs, des **huiles essentielles** (principalement **de pin** et **d'acacia)**, des **fleurs** de lotus (bleu) du papyrus,...et pour les offrandes généralement du vin, de la bière, du blé, du lait, du pain, des gâteaux, des figues, des dattes, de la viande, des volailles.

Notons aussi la présence de **statuettes** (du Neter comme de l'ennemi[216]), de la croix ansée ankh ☥, du baton ouas , de l'oeil oudjat , du scarabée khéper ainsi que d'autres **amulettes**, pierres et **talismans** comme notamment le noeud tit , le djed , le ouadj

A propos de l'utilisation de la **statue** du Neter, il y avait un **contact tactile** et donc énergétique, par une prise en mains, puis une onction d'**huile** (d'olive).

Le statue était aussi encensée, aspergée d'**eau** puis venait la partie du rite de l'appel par son **Nom** (importance du Nom en Egypte ancienne), à voix haute et une longue incantation, une litanie pouvant contenir des passages chantés accompagnés ou non par un fond instrumental et dans tous les cas une **gestuelle.**

L'utilisation de pierres précieuses et semi-précieuses était aussi courante avec un respect des vertus et correspondances universelles.

216Souvent apop (apophis)

Pour nos travaux nous nous munirons de pierres brutes ou roulées, essentiellement de couleur noire, blanche, rouge, verte et bleu :

Pierre	**Couleur**	**Vertus principales recherchées**
Cristal de roche	Blanc/transparent	Taux vibratoire
Cornaline	Rouge/orange	Responsabilité, courage, force
Jaspe	Vert	Equilibre, harmonie
Grenat	Pourpre	Dynamisme, énergie, protection
Lapis lazuli	Indigo	Communication, intuition, spiritualité
Turquoise	Bleu	Paix, créativité
Obsidienne	Noire	Protection contre les énergies négatives

Nous aurons aussi besoin de feuilles de parchemin ou, encore mieux, de feuilles papyrus de format A4.

Ces dernières nous servirons pour écrire des formules, des signes, des hiéroglyphes du Dieu ou de Neterou, de préférence à l'encre noire et à la main, mais une édition par imprimante est possible si vous ne vous sentez aucun talent particulier en dessin, surtout de style hiéroglyphique.

Une statuette du Dieu Amon, idéalement d'environ15 cm de hauteur, coiffe incluse sera nécessaire.

Un exemplaire en résine du commerce peut faire l'affaire, mais si vous aimez travailler l'argile, vous pouvez reproduire l'effigie d'Amon "le père des Neterou" et le peindre en doré, sauf la partie de la peau qui elle sera bleu.

Nous nous fournirons d'une boite en carton de dimension environ de 20X10 cms, ou de contreplaqué que nous peindrons en doré ; ce sera le Naos d'Amon.

La partie face devra pouvoir être ouverte et fermée à volonté, elle fera office de porte.

Nous nous munirons également de chauffes-plats, ou encore mieux de petites lampes à huile avec mèches de coton, qui seront alimentées alors par de l'huile d'olive.

Commes petits objets nous utiliserons aussi une petite pyramide (en obsidienne noire, ou en cristal de roche ou en lapis lazuli).

Des médaillons seront aussi utiles : oeil oudjat, ankh, horus (ailé), anneaux...que l'on trouve facilement dans le commerce.

Un vaporisateur pour l'eau, un encensoir à grille, du charbon, quelques catégories d'encens viendront en complément.

Un scarabée khéper en faience bleu, ainsi qu'une simple robe blanche en lin (à bretelles pour les femmes) seront aussi utilisés.

Pour chaque rituel, le matériel nécessaire sera récapitulé, mais ceci sera notre base large.

Pour les offrandes, nous aurons toujours à portée de main des petits pains, du vin, des figues séchées ou des dattes, de la bière, des gateaux, de l'huile essentielle de pin, d'acacia ou de cèdre.

Au niveau des encens, des grains d'oliban, de myrrhe et de kouphi seront privilégiés.

En ce qui concerne le fond musical, il faut savoir que les égyptiens utilisaient principalement **sistre**, **cymbale**, clochette, **harpe**, luth, lyre, **tambourin** et **double flute** pour accompagner la voix.

Nous n'avons pas hélas à ce jour retrouvé de partitions, seulement des fresques montrant des danses, des chants, et des musiciens.

Nous avons retrouvé aussi des exemplaires de tous ces instruments dans des tombes, mastabas et temples.

Dans ces conditions, tous les morceaux, fichiers et liens

que l'on trouve aujourd'hui sur internet prétendant être de la musique égyptienne antique traditionnelle ne sont, hélas, absolument pas authentiques !

Toutefois, si vous tenez vraiment à une musique de fond d' "ambiance", certes imaginaire, je vous donne ici un exemple de lien, fantaisiste mais conforme à l'idée que nous pouvons nous en faire, dans l'état de notre niveau de connaissances dérisoires sur ce sujet précis, si vous tenez absolument à avoir un fond musical :

https://www.youtube.com/watch?v=x9zDCoSYQa0

Quant à la gestuelle que nous employerons, nous serons soit debout bien ancrés au "signe du Ka", ou au "salut aux neterou" ou encore au signe du "doigt d'or", que nous avons déjà rencontrés précédemment et sur lesquels nous reviendrons le moment venu , mais pieds nus à même le sol.

CHAPITRE SECOND : UN RITUEL CEREMONIEL GENERAL EGYPTIEN D'OUVERTURE ET DE FERMETURE

Voici un rituel cérémoniel d'ouverture et de fermeture, qui peut être reproduit tel quel ou être encore personnalisé, tout comme d'ailleurs tous les rituels que je vais vous livrer.

Comme tout rituel, il commence par la préparation du lieu (Temple plutôt qu'*occultum* dans notre cas) et le stockage puis la préparation et la disposition des objets rituéliques et des ingrédients, qui eux seront consommés lors de l'opération.

La trame de ce rituel peut être utilisée en toute circonstance, car seul l'objet, le coeur de la demande différera en fonction de l'objectif du moment, de la spécificité du rituel concerné.

Cette base vous garantira non seulement d'opérer de façon juste et traditionnelle, mais aussi de faire descendre les énergies de façon harmonieuse, équilibrée et progressive, tout en assurant une bonne protection à l'opérateur.

Ici le coeur de la demande émise en exemple est une consécration, qui doit être effectuée une seule fois la première fois, avant toute autre demande ou opération magique.

Préparation du Temple :

Prendre une petite table basse, carrée ou rectangulaire de dimension vous permettant de circuler facilement tout autour et la recouvrir d'une nappe blanche ou bleu ciel ou encore bleu nuit.[217]

Mettre les hiéroglyphes du nom IAAOU sur parchemin idéalement en papyrus que vous poserez au fond à l'Est :

iaaou

Poser juste devant l'image l'encensoir à charbon et à encens à grille, lequel sera exclusivement composé d'oliban et de myrrhe à part égale ou alors du Kouphi.[218]

217De préférence une de ces trois couleurs seulement

218Nous avons vu *supra* comment le fabriquer, sinon vous pouvez vous en

Disposer au centre de la table trois lampes à huile[219] ou trois chauffes plats en triangle sur l'autel, pointe à l'Est (les deux autres pointant donc vers le Sud et vers le Nord).

Mettre adjacentes à ces lampes ou chauffes plats une pyramide en obsidienne noire ou une obsidienne noire, un oeil oudjat ou un grenat ou un jaspe rouge, et un scarabée khéper ou un lapis lazuli ou encore un turquoise, en suivant le même schéma que pour la disposition des trois lumières.

Déposer sur une soucoupe un petit pain ou des gateaux, de la bière ou du vin, ou un morceau de viande ou de volaille[220] ; diffuser un peu d'huile essentielle de pin serait un must.

Se présenter pieds nus devant l'autel vétu seulement d'une robe blanche en coton ou en lin, afin de ne pas géner la circulation des énergies électro-magnétiques.

Se munir si possible d'un anneau ankh à l'annulaire gauche ou porter autour du cou une croix ansée ou un horus ailé solarisé (du type de celui du trésor de Thoutankhamon).[221]

Se laver intégralement, y compris la tête, avant de se présenter devant le Créateur et les forces universelles.

Cérémonie :

---

procurer via la rubrique "me contacter".

219De préférence en bronze mais pas obligatoirement

220 Au moins une boisson et un aliment de votre choix sur la liste.

221Un de la liste, si possible

Allumer les trois lampes avec une seule allumette, la première celle qui pointe à l'Est, puis celle du Sud et enfin celle du Nord en disant pour la première :"Amon", pour la seconde : "Râ" et pour la dernière "Ptah", puis allumez le charbon et déposez quelques grains d'encens ; si vous disposez d'huile essentielle de pin diffusez en dès ce moment.

Concentrez-vous quelques instants sur l'autel, l'image, les lumières, les objets et les parfums qui se dégagent.

OUVERTURE

Lorsque la fumigation est bien engagée, debout bien droit pieds nus ancrés dans le sol et face à l'est, lever les bras au ciel les deux paumes vers l'Est et dire :

"Amn-Râ-Pth, trois en UN !

Ô mon Père caché !

Loué sois-Tu, je rend grâce et m'incline devant Toi mon Créateur ! (puis "flairer" la terre).

Se relever et faire le salut aux Nétérou (les DEUX mains disposées contre la poitrine, comme pour les momies Royales mâles) et reprendre :

"Neter, Nétérou"

Puis faire de nouveau le signe du Ka et dire :

"Ô Maât, guide moi vers la Lumière de Râ, par Chou et Tefnout !"

En contournant la table par le Nord monter à l'Est, faire Ka + Nétérou + Doigt d'or et dire :

"Ô Néit, viens et protège-moi !"

Aller vers le Sud , faire Ka + Nétérou + Doigt d'or et dire :

"Ô Aset, viens et protège-moi !"

Aller vers l'Ouest, faire Ka + Nétérou + Doigt d'or et dire :

"Ô Serqet, viens et protège-moi !"

Aller vers le Nord, faire Ka +Nétérou + Doigt d'or et dire :

"Ô Nebt-het, viens et protège-moi !"

Retourner devant la table, en passant devant l'Est, le Sud et l'Ouest, puis tourné vers l'Est (signe de Ka) dire :

"Loué sois-Tu Amn,

IA AOU,

Ô mon Père caché dans le Noun, Père des Neterou et de

tous les Ka,

Amn-Râ-Pth, trois en UN !

Toi qui t'es créé par Toi-même et a créé tout ce qui existe !

Toi qui a formé le Sycomore Sacré et formulé la Maât !

Louée sois-tu Maât !

Que ton rayon me traverse,

Avec l'aide d'Her-Râ,

Par l'action de Djehouty et d'Inpou,

Pour libérer Ouser des cycles, de kheper et des ouhem mesout,

Que j'unisse mes Ka sous l'élan du grand faucon doré,

avec l'aide d'Héka et de l'oeil de Her,

Fais-moi ouhem-ankh, maâ-kherou, akh parmi les akhou dans le sekhet-hotep et le sekhet-ianru !"[222]

(Marquer un temps de pause et de méditation, rajouter des pincées d'encens et de l'huile essentielle tous le long du rituel autant que vous le jugerez nécessaire,

222 Les champs-élysées, le paradis

puis, toujours en restant au signe de ka) :

Dire trois fois de suite : "I-A-A-OU" (en faisant la liaison)

DEMANDE

Comme indiqué plus haut, c'est à ce moment bien entendu que votre cérémonie sera personnalisée en fonction de vos souhaits ; donc seule cette partie changera selon la formulation de votre demande du jour, c'est à dire de l'objectif de votre rituel spécifique.

Dans notre exemple ici sera mentionnée une dédicace à déclamer seulement lors de la toute première cérémonie, dite d'"installation" ; ainsi nous ferons une pierre deux coups, vous verrez la manière simple d'inclure des élements spécifiques, que vous retrouverez aussi d'ailleurs plus loin dans un autre rituel (naos).

Nous allons en effet faire ici intervenir la statuette d'Amon, en résine du commerce ou en argile peinte en bleu et doré, et son naos, petite boite en carton ou contreplaqué peinte en doré pouvant s'ouvrir et se fermer par le devant.

(Faire le signe de ka et dire) :

"Ô Amn, mon père caché qui se révèle aux chercheurs de Lumière,

J'ouvre ce Temple aujourd'hui en Ton honneur, sur la terre comme au Ciel et pour l'éternité."

(Prendre la statuette dans la paume des deux mains, faire avec le tour de l'autel en partant depuis le nord dans le sens solaire, puis de retour à votre place devant l'autel mettre avec l'index sur la tête de la statue quelques gouttes d'huile d'olive puis pulvérisez dessus un peu d'eau du pulvérisateur et dire) :

"Tu es l'Esprit pûr qui demeure en Noun pour l'éternité".

(fumiger la statuette avec l'encens et dire de nouveau) :

"Tu es l'Esprit pûr qui demeure en Noun pour l'éternité".

(Placer la statuette dans le Naos, et mettre le tout entre les trois lumières et dire une dernière fois) :

"Tu es l'Esprit pûr qui demeure en Noun pour l'éternité".

(Fermer le Naos puis flairer la terre)

Revenir au signe du Ka et dire :

"*Hommage à toi Amon, Dieu bon et très aimé,*

Seigneur du trône des deux régions,

Roi du Ciel, Prince de la Terre,

Maître de la Vérité, auteur des hommes,

Des choses d'en bas comme des choses d'en haut,

Roi du midi et Roi du Nord,

Beau de visage et possesseur des diadèmes,

Maître du temps, auteur de l'éternité et qui porte la double plume,

Maître des radiations produisant la Lumière,

Donnant ses deux mains à celui qu'il aime,

Ton oeil renverse les impies, perce le Noun,

Toi qui exauce les prières,

Grand de l'Amour,

Venu nourrir les êtres intelligents,

Les coeurs vivent de Toi,

Ta beauté s'en empare,

Tu es l'Unique, produisant toutes choses,

Qui donne le souffle à qui est dans l'oeuf,

Nous nous inclinons devant Toi car Tu nous a créé ! Gratitude !

Viens en paix, Père des nétérou et qui demeure en nous pour l'éternité !"

(se recueillir un moment et méditer)

CLOTURE

Aller au Nord, faire le Ka, les Nétérou et le doigt d'or et dire :

"Ô Nebt-Het, je te remercie pour ta présence et ta protection ! A présent je te libère !"

Aller à l'Ouest, faire le Ka, les Nétérou et le doigt d'or et dire :

"Ô Serqet, je te remercie pour ta présence et ta protection ! A présent je te libère !"

Aller au Sud, faire le Ka, les Nétérou et le doigt d'or et dire :

"Ô Aset, je te remercie pour ta présence et ta protection ! A présent je te libère !"

Aller à l'Est, faire le Ka, les Nétérou et le doigt d'or et dire :

"Ô Néit, je te remercie pour ta présence et ta protection ! A présent je te libère !"

Eteindre les 3 lumières (sans souffler[223]) dans l'ordre inverse de leur allumage (c'est à dire Nord, Sud et Est) en disant : "Ptah, Râ, Amon".

Terminer par l'acclamation "I-A-A-OU" comme indiqué précédement.

Ranger le Temple puis quitter la pièce.

AMON,e des dieuqui aAMONère des dieuxqui a façonné l'humanité façonné l'hum

223 Avec les doigts ou un éteignoir

CHAPITRE TROISIEME : DES RITUELS SPECIFIQUES POUR LA VIE QUOTIDIENNE

Nous venons d'étudier en détails dans le chapitre précédent un exemple de rituel général d'ouverture et de fermeture.

Nous allons à présent nous pencher sur quelques exemples de rituels spécifiques, utiles pour notre vie quotidienne.

Je vous propose donc ici, toujours en exclusivité, plusieurs rituels parmi bien d'autres : un **rituel de protection**, un **rituel destiné à stimuler nos dons internes** , un **rituel pour travailler sur ses défauts**, un **rituel pour se faire guider par un Sage**, un **rituel pour la voie osirienne**, un **rituel pour la voie horienne** et enfin le **rituel du naos**.

Vous pouvez bien entendu, si vous le souhaitez, les utiliser tels quels, ou les modifier si vous vous sentez prêts, voire en créer vous-même des spécifiques à votre tour, en respectant toutefois les critères d'authenticité.

La Maât, justice divine, ordre universel harmonie, équilibre et Vérité doit régner partout pour les mages initiés de l'Egypte antique.

Au besoin, le recours à la magie Heka est donc nécessaire afin de la rétablir dans l'univers aussi bien que dans notre vie quotidienne, pour éloigner Isfet, le chaos, le désordre et l'injustice.

C'est exactement ce que je vous propose dans l'étude et la mise en place, des rituels suivants.

Bonne pratique !

Un rituel de protection

Il s'agit là d'un rituel de haute protection, et donc très efficace car inspiré des pratiques magiques dans les temples par des prétres au plus haut niveau.

Le but est de chasser tout le négatif, le mauvais oeil, les sorts, envoûtements et actes magiques de toute nature, qui auraient pû être exécutés contre vous.

C'est à la fois un rituel préventif et curatif.

Pour la préparation de ce rituel très puissant nous aurons besoin d'argile rouge sur laquelle nous reproduirons la forme de Seth.

Nous aurons aussi besoin pour ce rituel d'un couteau pointu ou d'une dague, de fil noir, d'huile d'olive, de sopalin et d'un plat profond qui va au four, d'un dessous de plat, ainsi que d'un bout de parchemin ou papyrus sur lequel nous reproduirons à l'encre noire ou imprimerons ceci :

Seth

Cérémonie

OUVERTURE

Procédez comme indiqué dans le rituel général ; sauf que dans la disposition spécifique de ce temple vous aurez installé, le récipient transparent en verre pyrex sur son dessous de plat sur votre gauche, c'est à dire vers le nord, dans lequel vous aurez mis la profondeur d'un doigt d'huile d'olive.

Autre variante ou ajout par rapport à la disposition des lieux dans le rituel général, devant vous sera posée la statuette de Seth sur son parchemin, le fil noir, le sopalin et les allumettes à portée de mains.

Procédez ensuite à l'ouverture du rituel général comme indiqué dans le chapitre précédent jusqu'au point mentionné DEMANDE puis revenez à la page suivante :

DEMANDE

Prendre la statuette dans vos deux mains et dites :

"Ceci est mon ennemi en toutes choses, cette figurine de Seth représente mon ennemi sur tous les plans et en tous lieux".

(Graver dessus PHONETIQUEMENT en alphabet classique le nom SETH avec un couteau sur la poitrine de la statuette de cire rouge,

Puis prendre le fil noir et ligoter la statue en disant) :

"Tu es en mon pouvoir, tu es mon prisonnier, je t'ai entravé, tes desseins sont vains, Seth je t'ai vaincu."

Puis dire :

"Ô Amon, mon Père,

Tout comme les Neterou usent légitimement de la Héka pour vaincre l'ennemi qui les attaque et leur fait obstacle dans leur avancée,

J'implore aujourd'hui ton aide, ainsi que celle de tous les compagnons de Thot et d'Horus pour vaincre à mon tour l'ennemi qui est sur le point de m'attaquer, m'attaque ou m'a attaqué sournoisement."

"Seth ton plan est déjoué"

(donner plusieurs coups de couteau pointu dans la statuette)

"Seth, tu es notre honte "

(cracher une fois sur la statue)

"Seth, malgré tes efforts l'oeil d'Horus est de nouveau complet, Râ te frappe à la tête et brise tes os".

(Frapper une dernière fois la statuette à la tête puis jeter la statuette par terre et "l'écraser" quatre fois du pied gauche nu, puis dire) :

"Seth ton ba est détruit, tu es anéanti'.

(prendre du sopalin, plusieurs morceaux, les allumer et les répartir dans le plat huilé, puis quand la flambée prend avec l'huile jeter dedans le parchemin de Seth et la statuette, et laisser se consumer le tout entièrement dans le plat, sous lequel vous avais disposé un dessous de plat, car la chaleur va augmenter un moment sensiblement).[224]

CLOTURE

224 Soyez prudent lors de cette phase, les flammes peuvent monter haut.

(Procédez alors à la cloture comme mentionné dans le rituel général, n'attendez pas que tout soit consumé, laissez le feu faire son oeuvre dans son environnement sécurisé).[225]

225 En général c'est l'affaire de 20 min à une demi-heure , le plat spécial et le dessous de plat sécurisant l'opération.

Un rituel pour stimuler ses dons internes

Développer des dons internes fait partie intégrante du processus initiatique car, en la matière, voir au-delà des apparences est primordial.

Rarement la clairvoyance s'obtient spontanément sans effort ; elle est plutôt le **fruit** d'un développement progressif et préalable de la Conscience.

Elle donne surtout une grande **responsabilité**, des devoirs, et est donc parfois lourde à porter.

Elle exige généralement un **détachement** préalable (par rapport à ce que disent les autres sur nous, mais aussi de nous-même vis à vis de nos propres pensées et émotions), processus qui a permis de distinguer l'illusoire, le futile, de l'essentiel et impérissable.

Elle peut survenir alors comme une récompense, un retour d'offrande.

Il faut donc méditer et se préparer à récolter le fruit lorsqu'il sera mûr, ne pas se hâter afin d'y être réellement prêt, rien n'étant dû.

Cela passe d'abord par l'attitude, de plus en plus naturelle, de se mettre à l'écoute de son **intuition**.

Mais cela ne suffit pas, il faut donc absolument aussi travailler sur le détachement, si l'on espère pouvoir accéder à des plans supérieurs à l'astral, et bien sûr auparavant sur ses **défauts**.[226]

C'est alors **la pleine ouverture**, encore plus rare, puisqu'elle nécessite une grande **discipline** et une **éthique** quotidienne, car si le canal n'est pas sans cesse purifié il est alors atteint par les vibrations de l'astral, et ses messages altérés deviennent du coup amoindris, ambigus, faussés.

Si vous visez vraiment le développement de vos dons internes, ne négligez donc et ne sautez surtout aucune de ces étapes.

Entrainez-vous aussi, si l'occasion se présente, à discerner donc les deux types de clairvoyance, cela fera une

---

226Cf le rituel correspondant *infra*

occasion de plus de vous exercer à écouter votre intuition et votre coeur.

Le clairvoyant astral peut vous rendre mal à l'aise, cela peut aller à la limite jusqu'à vous sentir aspirer votre énergie car il se "branche" entre autres sur vous, tandis que le plein clairvoyant est directement et totalement connecté aux plans supérieurs, dont il devient en quelque sorte le messager.

PREPARATION

Nous allons dans ce rituel utiliser l'oeil oudjat sur parchemin et un cristal de roche (sous forme brute, roulée ou encore mieux pyramidale) que nous placerons au centre des trois luminaires.

Idéalement nous rajouterons en diffusion de l'huile essentielle de cèdre, sans oublier les offrandes qui seront composées de figues ou de dattes, mais surtout d'un petit pain blanc et d'un verre ou gobelet de vin rouge.

Oudjat

Cérémonie

OUVERTURE

(Placer le petit morceau de parchemin OUDJAT sous la pyramide de cristal au centre de l'autel, puis procéder comme dans le rituel général)

DEMANDE
(au signe du ka dire) :

"Qu'elle vienne donc cette flamme régénératrice,

Qu'elle fasse régner autour de Râ l'ordonnance divine !

Ô Râ, en vérité l'oeil d'Horus, il vit, il vit,

Il vit au sanctuaire du grand temple,

Et Chou marche à ta rencontre.

"Salut à toi, arbre sacré,

Puissé-je manger et boire en ta compagnie,

Accorde à mes narines ton souffle vivifiant,

Je monte la garde devant l'oeuf cosmique,

Je marche vers la pleine Lumière du jour,

J'entoure de mes bras le Sycomore sacré,

Lui en retour m'ouvre ses bras gracieux.

Je suis le seigneur des métamorphoses,

Car je possède en moi, virtuellement,

Les formes et les essences de tous les Neterou.

L'oeil d'Horus, que j'ai délivré me protège, puissant, il resplendit.

Je connais cet Être Divin dont l'oeil rayonne dans le Ciel.

J'ai remporté les batailles contre les légions des démons grâce à l'oeil d'Horus,

Car ses forces circulent depuis le bas de mon dos.

Mon front est le front de Râ,

Je suis Maître du savoir sacré et du verbe magique.

En vérité je demeure dans l'oeil divin.

Râ m'accorde ses faveurs,

Le pain de Râ est ma nourriture, le vin de Râ ma boisson.

Le verbe en acte se dresse, le parfum de l'oeil d'Horus s'étend sur moi, ma face en est remplie ;

J''apporte le cristal au grand oeil et donne mes ordres aux sept uraeus.

J'ai trouvé tous les lumineux et me rend à cette place, plus sainte que toute place".

(méditez, assis en tailleur ou en lotus, ou en seiza, le dos bien droit et concentrez-vous sur votre zone pinéale le plus longtemps possible ; vous pouvez aussi à cette occasion formuler mentalement un souhait).

CLOTURE

(procéder comme pour le rituel général).

Un rituel pour travailler sur ses défauts

Travailler sur ses défauts est la résolution numéro une à adopter, si l'on veut mettre en pratique tout ce que l'on a appris, si l'on veut passer de la virtualité à l'action et faire émerger le lotus.

Le but est de progressivement gommer ses défauts ; pour cela il n'est pas toujours nécessaire de les attaquer de front, on peut aussi mettre en exergue leurs opposés, c'est à dire les qualités essentielles de l'âme.

Ce rituel est un plus dans cette dure épreuve, un bon stimulant pour notre volonté de s'améliorer au quotidien et un support de base où nous sommes mis seul face à nous-même, face à la Vérité.

Il nous aidera à trouver la force de persévérer dans ce chemin tortueux, et nous guider vers la sortie du labyrinthe.

PREPARATION

Nous allons utiliser la Maât et Thot et les représenter sous la forme d'une simple plume[227] ; nous aurons aussi besoin d'un morceau de parchemin ou de papyrus sur lequel nous reproduirons ou imprimerons les hiéroglyphes suivants d'un seul tenant :

protection, vie, stabilité, force

Nous utiliserons aussi du lapis lazuli ; prenez ce que vous avez éventuellement sous la main : brute, roulée, ou pyramide (idéal) feront l'affaire.

227Notons au passage ce symbole qui leur est commun, la plume sur la tête (pour Maât), la "plume" ou calame de roseau du scribe (pour Thot).

Cérémonie

Installez le temple comme dans le rituel général, mais rajoutez au centre des trois luminaires la pyramide en lapis lazuli sous laquelle vous poserez le parchemin et la plume.

Les autres pierres et objets du rituel général sont par contre bien sûr remplacés par les éléments mentionnés de chaque rituel spécifique.

OUVERTURE

(procéder comme dans le rituel général)

DEMANDE

(Au signe du ka dire) :

"Salut à toi Maât, fille de Râ, qui orne la poitrine de Thot,

Ô Maât,

Vérité-Justice,

Détruis le mal qui est en moi !

Fais disparaître ma méchanceté et mes crimes,

Balais de mon coeur tout mal qui pourrait me séparer de toi,

Afin que je sois en paix avec toi !

Je t'apporte en offrande ce qui te fera vivre,

Afin que moi aussi je puisse vivre.

Et le sentiment de honte dans ton coeur,

A cause de moi,

Détruis-le pour toute l'éternité ! "

(marquer un léger temps de pause puis dire) :

"Je suis Thot, l'hiérogrammate parfait aux mains pures,

Maître de Vérité et de Justice,

Seigneur de la pureté, destructeur du mal,

Scribe de la Vérité,

Qui détruit le mensonge et la fraude,

Et dont la parole est puissante dans les deux pays,

Qui donne la victoire au faible persécuté,

Qui venge l'opprimé de l'oppresseur,

Je chasse les ténèbres et repousse les tempêtes,

J'apporte le souffle du vent du Nord à l'Être-Bon,

Je le fais pénétrer aux demeures mystérieuses,

Afin que ce souffle puisse réveiller le coeur de celui dont le coeur est arrêté,

Fils de Nout, Horus l'invincible."

(marquer un nouvelle pause puis dire) :

"Salut à vous les quatres iaani, serviteurs de Thot,

Arrachez le mal de mon coeur,

Eliminez toute souillure qui s'attache à ma personne,

Afin que rien ne m'empêche d'arriver jusqu'à vous.

Alors les quatres puissants esprits aux masques de singes répondent :

Viens, car nous avons arraché tes vices, sources de tes châtiments sur la terre,

Nous avons éliminé toute souillure qui s'attachait à ta personne ;

Entre donc, ton nom sera proclamé tous les jours à l'intérieur du temple de l'horizon."

(marquer de nouveau une légère pause puis dire) :

"Dressé tout debout, Ô Her,

Tu es majestueux et puissant,

De même que toi j'ai été dressé tout debout,

Tes ennemis, tous faits prisonniers, obéissent à présent à tes ordres,

Ta gorge relève d' Inpou (Anubis) *et tes vertèbres d' Oudjat,*

Et les Neterou te rendent l'usage de tes deux yeux".

"Je suis Thot, je détruis le mensonge,

J'abaisse l'injuste victorieux et je redresse le faible bafoué,

J'abats les ennemis (d'Osiris) *et détruis les obstacles,*

J'ai apaisé Horus et calmé les deux combattants,

J'ai dompté les esprits rouges et les démons de la

révolte,

Je suis Ap-Ouat, car j'ouvre les chemins vers le bien, en mon nom".

(Marqur encore une légère pause puis dire) :

"A l'épreuve de la lune j'abandonne la puissance de croître et de décroître,

A celle de mercure j'abandonne la malice,

A celle de vénus l'illusion des désirs,

Au soleil le pouvoir et l'ambition égoistes,

A mars la témérité présomptueuse,

A jupiter j'abandonne la richesse,

Et à saturne les mensonges.

J'honore mon père, ma mère et mes proches parents,

Entre les autres hommes je me fais ami de celui qui excelle en vertu,

Je cède toujours aux paroles de douceur et aux activités salutaires,

Je domine la gourmandise,le sommeil, la luxure et l'emportement,

Je ne commets aucune action dont je puisses avoir honte,

Car je me respecte moi-même,

Pratique la justice en actes et en paroles,

Ne me comporte en aucune chose sans réfléchir,

Supporte les maux et les revers de la vie terrestre avec douceur et ne m'en fâche point.

Je suis à l'écoute de mon prochain,

Mais pour autant n'engage pas la discussion avec celui dont les propos sont enflammés,

Je ne l'agresse pourtant pas à mon tour et le laisse à lui-même,

Car je ne dissocie pas mon coeur de ma langue,

Suis sincère avec mon prochain et ne convoite pas ses biens,

Celui qui aime son prochain trouve toujours des parents autour de lui.

Dieu aime celui qui réconforte les humbles plus que celui qui honore les grands ;

J'approuve ou blâme avec prudence,

Pense d'après moi-même,

Consulte, certes, mais délibère et choisis librement,

Et je sais qu'il faut choisir en tout un milieu juste et bon".

(Méditer quelques instants en silence puis dire) :

"Maât, Thot, je vous apporte mes défauts en offrande"

(Faire le doigt d'or et désigner tour à tour la pyramide, la plume, l'encens, le pain et la bière).

CLOTURE

(procéder comme pour le rituel général).

Un rituel pour se faire guider par un Sage

Les canaux connus pour contacter des entités-guides relèvent en général soit du "*channeling*" (new age), soit de la sorcellerie, soit de la haute théurgie.

Ici, bien entendu, point de "spiritisme", ni de "ouija", ni d'"écriture automatique", qui n'offrent pas à mes yeux les garanties suffisantes pour un contact clair, certain et surtout sécurisé.

Il est évidemment hors de question ici aussi de faire appel à un quelconque pacte !

Comme la médiumnité pure et directe, dans le sens de pleine clairvoyance, n'est pas développée chez la majorité des humains, dont les sens internes[228] restent atrophiés de part le processus d'involution, le recours à ce rituel spécifique va nous aider à mobiliser nos énergies et les amplifier vers le but visé.

Quant au choix du guide à contacter, vous avez carte blanche pour puiser dans le listing égyptien pour trouver des idées.

Dans l'exemple qui suit, j'ai retenu Amenhotep fils de Hapou et de Itou, un des grands sages de l'Egypte ancienne ("*amnhtp*" signifiant "paix d'Amon") ; voici son nom en hiéroglyphes :

amnhtp

On pourrait choisir aussi par exemple Imhotep (*imhtp*),

228 Voir le rituel spécifique *supra* pour les travailler

ou un pharaon que vous aimez en particulier, une reine, Manéthon, ...etc, le choix est donc assez large.

Je vous donne quand même le nom égyptien d'Imhotep, pour ceux qui seraient intéressés :

imhtp

Je vous ai dit à l'instant comment nous n'allions pas procéder, mais...comment procéderons-nous au final ? ...

Nous allons utiliser un des plus anciens outils magiques pour ce rituel : il s'agit d'un **miroir**.

Les miroirs dans l'Egypte antique étaient souvent des miroirs à main et à l'effigie d'Hathor[229], car associés à la gente féminine, qui en a généralement plus usage que les hommes, pour des raisons esthétiques.[230]

Nous priviligiérons un miroir neuf carré de 25X25 cms "argenté" (en fait une plaque de verre recouverte au dos d'une ou plusieurs couches d'aluminium, si vous voulez le fabriquer vous-même).

La forme carrée renforcera l'équilibre des énergies,

229 Mais parfois en forme de Ankh

230Quoique les égyptiens antiques s'épilaient complètement, se rasaient, se maquillaient, portaient bijoux et perruques !

l'ancrage, donc l'aisance et la sécurité. [231]

Nous pourions aussi utiliser un miroir d'obsidienne ou de métal, mais c'est plus difficile à trouver ou généralement plus cher à l'achat, et n'ajoute à mon avis rien à l'efficacité du miroir, du moins dans la spécialité à laquelle nous le destinons.

Notre miroir par ailleurs ne sera ni convexe ni concave, mais plat.

La première chose à faire sera de le nettoyer : Pour cela nous utiliserons un vaporisateur dans lequel nous mettrons un mélange d'eau de source, de sel de mer et de vinaigre blanc[232].

Tous ces produits auront été bien entendu, au préalable et séparément, purifiés et chargés, comme tous les éléments consommables ou meublants qui interviennent dans tout rituel mentionné dans cet ouvrage.

Nettoyer soigneusement le miroir avec un chiffon doux, devant ET derrière.

Ensuite il va falloir le fumiger avec de la sauge blanche, du Palo Santo ou du Kouphi.

Puis il faudra le consacrer avant le début de notre rituel pour qu'il soit prêt à l'emploi et magiquement opérationnel.

Pour cette consécration préparatoire, allumez donc un charbon et jetez dessus quelques pincées d'encens (oliban,

231 Ce qui doit toujours être prioritaire en magie blanche.
232 Idéalement pour 0,5L d'eau de source mettre une cuillère à soupe de vinaigre blanc et idem pour le sel.

myrrhe ou kouphi) ; le miroir doit être placé à plat devant vous.

Mettez-vous debout le dos bien droit face à l'est, fermez les yeux et concentrez-vous sur la zone de votre troisième oeil ; vous devriez sentir alors une pression derrière le front légèrement au dessus de vos deux sourcils.

Toujours les yeux fermés, debout au signe du Ka, imaginez et visualisez un vortex qui tourne dans le sens solaire, c'est à dire de la gauche vers la droite ; la pression frontale devrait s'accroître alors sensiblement de même que les vibrations.

Sentez le magnétisme, l'interactivité de l'énergie qui est captée à la fois au niveau de votre troisième oeil, de vos paumes des deux mains, ainsi que dans la zone coeur-plexus et toute la colonne.

Une fois votre intuition qu'assez d'énergie a été captée, emmagasinée et concentrée, ouvrez les yeux et faites le doigt d'or, pointez-le vers le miroir et chargez-le, puis tracez un vortex, toujours dans le sens solaire, en tournant trois fois en forme de spirale.

Prenez à présent le miroir dans vos mains, posé sur vos paumes et dites :

"Miroir, je te destine à la communication avec un sage guide égyptien antique du nom d' A*mnhtp fils de Hapou et de Itou* et te met sous la protection et la médiation d' het-her" (pulvériser un petit jet d'un pulvérisateur, qui contient de l'eau consacré, des deux cotés du miroir).

(Puis dites une seconde fois) :

"Miroir, je te destine à la communication avec un sage guide égyptien antique du nom d' A*mnhtp fils de Hapou et de Itou* et te met sous la protection et la médiation d' het-her" (fumiger avec de l'encens des deux cotés du miroir).

Dites une dernière fois :

"Miroir, je te destine à la communication avec un sage guide égyptien antique du nom d' A*mnhtp fils de Hapou et de Itou* et te met sous la protection et la médiation d' het-her" (souffler successivement sur les deux cotés du miroir).

Le miroir est enfin prêt pour être utilisé pour contacter votre guide spirituel.

Il conviendra de positionner le miroir de manière à ce qu'il reflète l'environnement mais pas votre image.

Derrière le miroir vous insérerez ce hiéroglyphe d'Hathor[233] :

het-her

233 Par exemple en l'imprimant sur une étiquette auto-collante ou en le peignant directement au dos du miroir

Vous vous munirez également de trois pierres : idéalement une pierre en jaspe rouge, ou en obsidienne noire, une pierre en grenat et une autre en turquoise, brutes ou galets polis peu importe, ainsi que d'un petit bout de parchemin sur lequel vous écrirez le nom de la personne à contacter.[234]

PREPARATION

Couvrez votre table d'autel d'une nappe blanche et disposez au fond à l'Est votre statue d'Amon et ou votre manuscrit, papyrus portant le hiéroglyphe de IAAOU.

Placez au centre votre miroir par dessus le nom du sage et disposez autour du miroir vos trois chauffe-plats ou vos trois lampes à huile.

Ajoutez les trois pierres, dans l'ordre des feux : Turquoise, obsidienne, grenat.

Devant vous (et donc devant le miroir) posez l'encensoir ; gardez les allumettes et le charbon à portée de main ainsi que votre carnet magique et un stylo.

Cérémonie :

234 Cf le nom d' Amenhotep en égyptien indiqué précédement

OUVERTURE

(reportez-vous au rituel général)

DEMANDE

(Regardez dans le miroir et dites) :

"Salut à Toi, Het-Her, maîtresse d'Héliopolis-féminine, en ces tiens noms parfaits sous lesquels Râ aime te voir,

Souveraine des femmes, Maîtresse de la musique, du sistre, de la flute, des harpes, de la joie, des parures et de l'amour,

Faucon femelle, celle dont la forme est sacrée, uraeus de Lumière, celle qui fixe le disque,

Qui préside à la flamme,

Maîtresse de Denderah,

Maîtresse des deux terres,

Maîtresse du pain et qui prépare la bière,

Maîtresse du sycomore,

Celle qui entend les prières,

La porteuse d'offrandes,

L'épouse d'Horus,

Vallée de Maât,

Maîtresse des yeux oudjat,

En tous Tes noms, transformations, manifestations, places et en tous lieux,

Entend ma prière,

Viens et protège-moi,

Ouvre-moi le canal vers le Sage Amenhotep fils de Hapou et de Itou, pour progresser vers la Connaissance et la Vérité,

Qu'Amenhotep fils de Hapou daigne descendre et communiquer avec son serviteur, par vision, voix, sensation, présence, par l'entremise de ton miroir-portail en ce lieu et maintenant."

(Faire silence et se recueillir quelques instants puis Dire) :

"Amenhotep fils de Hapou et de Itou, tu as dit :

Je suis venu à Toi pour partager Ta nourriture et demeurer dans Ton Temple, Ô Amon, qui existe depuis l'origine.

Tu es le maître de qui est sous le Ciel, comme Dieu des humains ; qui est dans le Ciel rend hommage à Tes perfections, à cause de Ta grandeur.

Tous tendent les bras vers Tes perfections.

Tu écoutes celui qui appelle.

Tu es certes Râ l'incomparable."

"Amenhotep fils de Hapou et de Itou, tu as dit aussi :

"Je *suis venu pour voir Tes perfection, Seigneur des Neterou,*

Me voici dans Ton Temple, me nourissant de Tes provisions.

Puisses-Tu rendre prospères mes années où je suis à Ton service, flairant la terre".

"Amenhotep fils de Hapou et de Itou, tu as dit enfin :

Ô gens qui désirez voir Amon, venez à moi.

Je communiquerai vos requêtes, car je suis un intermédiaire auprès de Dieu.

Exécutez en ma faveur le rite des offrandes, mentionnez mon nom."

(Dire alors) :

"Ô Amenhotep fils de Hapou et de Itou, du nome d'Hout-héry-ib, justifiés,

Les compagnons d'Horus (Her) sont réunis en toi,

Tu fais verdir le bâton du Maître de Vie, âme au Ciel,

Reçois en ton honneur cette offrande de pain et de bière,[235]

Toi dont la place est à l'avant dans Mesketet et Mandjit,

***Houi**, daigne descendre parmi les hommes et me faire bénéficier de tes précieux conseils pour éclairer mon chemin vers la Connaissance et toujours mieux servir la Maât."*

"Car tu as dit être un intermédiaire auprès d'Amon, ton nom a bien été mentionné et les offrandes sont à présent à tes pieds".

(Regardez de nouveau dans le miroir, mais cette fois en prenant la précaution qu'il reflète une partie de la pièce mais non plus votre reflet ; notez précieusement les évênements de

235 Vous avez déposé un petit pain près du miroir ainsi qu'un gobelet rempli de bière ; même chose pour Hathor.

la séance dans votre carnet magique, puis lorsque vous estimez que la séance est terminée dites) :

"*Je te remercie Amenhotep fils de Hapou et de Itou du nome d'Hout-héry-ib, justifiés, pour tes enseignements précieux et te témoigne ma plus profonde gratitude ; je te libère à présent, jusqu'à un prochain contact ultérieur ; retourne en paix dans le firmament, Ô grand Sage d'Egypte !*"

"*Je te remercie Het-Her, pour ta protection et ta médiation via ce miroir-portail et te témoigne ma plus profonde gratitude par ces offrandes ; je te libère à présent*".

CLOTURE

(Se reporter au rituel général)

Un rituel pour la voie Osirienne

La voie Osirienne, nous le savons à présent, symbolise les petits mystères initiatiques.

Osiris doit mourir, c'est à dire se délivrer de la matière, s' en éloigner ainsi que de ses défauts, afin que son "coeur arrêté" batte de nouveau.

Pour cela il doit errer "dans le royaume des morts" jusqu'à ce qu'il trouve la force enfouie (en lui) le germe, l'énergie qui fera émerger du tertre une nouvelle plante verte.

Sa renaissance se fera alors au niveau spirituel, par l'entremise de son fils Horus ("vengeur").

Ce rituel mobilisera nos énergies afin de nous identifier à notre centre, à notre coeur enfoui au plus profond de nous, le stimuler, le rendre vivant, Conscient.

PREPARATION

Parmi les ingrédients spécifiques pour ces opérations magiques, nous allons utiliser un djed, de l'argile verte, une grande assiette et des grains d'orge.

Dans l'assiette nous mettrons un tapis d'argile verte que nous saupoudrerons de quelques grains d'orge et sur laquelle nous placerons le djed couché.

Avec l'argile verte restante, nous formerons également quatres petites boules d'environ 5 cm de diamètre chacune.

Nous graverons avec un clou sur chaque boule, pendant que l'argile est encore humide, les deux noms PHONETIQUES des Neterou suivants :

Il s'agit d'Amon et Montou (Sud), Shou et Tefnout (Nord), Neith et Ouadjet (Ouest), Bastet et Sekhmet (Est) puis nous imprimerons leurs hiéroglyphes en langue égyptienne, que nous poserons sous chaque boule à chaque point cardinal :

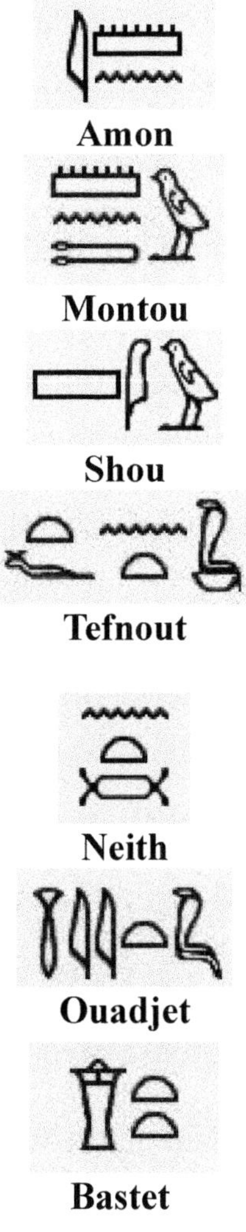

Amon

Montou

Shou

Tefnout

Neith

Ouadjet

Bastet

Sekhmet

Placer l'assiette garnie au centre de l'autel, les trois Luminaires tout autour, ainsi que les quatres petites boules et leur support écrit aux quatre points cardinaux.

Mettre devant l'encensoir, le charbon, l'encens et l'éteignoir ainsi que les allumettes.

CEREMONIE

(Procéder comme pour le rituel général)

DEMANDE

Dire :

"Accomplissez la protection d'Osiris,

Osiris sort triomphant quatre fois."

Salut à vous, protecteurs de Râ, issus de lui,

Ceux qu'il a donné à son fils Osiris pour assurer sa protection, pour toujours et à jamais,

Pour abattre tous ses ennemis, qu'ils soient morts ou vivants, en veillant sur lui.

Salut à vous, boules venues à l'existence pour Râ,

Vous qui êtes solides sur terre,

Vous qui êtes vivantes dans le Noun,

Aidez au combat pour vos intérêts,

Accomplissez donc votre mission avec vigueur pour votre Seigneur,

Et il vous accordera sa faveur !".

(Dire ensuite) :

"Je suis Thot, et je vous parle le langage de Râ,

Car je suis Thot le maître de la parole divine,

Et tout ce qui sort de ma bouche se réalise.

Veillez sur Osiris en accomplissant sa protection, tout comme vous accomplissez aussi la protection de Râ.

Détournez Seth ainsi que ses complices de tout lieu en lequel est Osiris.

Son fils Horus est sur son trône.

Arrière Seth, fauteur de troubles, qui suscite les séditions,

Traîne-toi en arrière, tourne les talons, détourne ta face !

Arrière Seth, tes yeux sont aveugles, tu ne vois plus !

Tes oreilles sont sourdes, tu n'entends plus !

Tu es chassé de la barque de Râ !

Râ te frappe à la tête, chacune de tes formes, chacun de tes noms, il les réduit au néant.

Seth périt, ainsi que ses complices, ainsi que son nom et sa forme !

Seth est au milieu du feu.

Si tu viens du Sud, les Neterou t'abattront,

Si tu viens du Nord, les Neterou t'abattront,

Si tu viens de l'Ouest, les Neterou t'abattront,

Si tu viens de l'Est, les Neterou t'abattront."

(Dire) :

"Il est comme Seth celui qui vient,

En tant qu'ennemi d'Horus,

Seth, recule donc, détourne ta face !

Râ frappe ta tête, anéantit ton Ba, et tu ne peux point avancer pour voir le Dieu grand.

Allons, dresse-toi Osiris, qui est à la tête de l'Occident,

Vois, ceux qui te sont rebelles tombent,

Et tu triomphe de tes ennemis quatre fois."

(Lancer la boule du Sud en direction du Sud)

"Il est comme Seth le furieux,

Celui qui vient, les yeux emplis de mensonge,

Pour commettre le grand crime de nouveau ;

Rebrousse chemin Seth, arrière, détourne ta face,

Tu ne dois pas t'approcher du corps divin.

Râ frappe ta tête, anéantit ton Ba, et tu ne peux point avancer pour voir le Dieu grand.

Allons, dresse-toi Osiris, qui est à la tête de l'Occident,

Vois, ceux qui te sont rebelles tombent,

Et tu triomphe de tes ennemis quatre fois."

(Lancer la boule du Nord vers le Nord)

"Seth déchu, où que tu sois tu dois être détourné,

Car c'est mon désir ;

Seth, ta tête est frappée, ton ba anéanti,

Tu ne peux approcher pour voir le Dieu grand.

Allons, dresse-toi Osiris, qui est à la tête de l'Occident,

Vois, ceux qui te sont rebelles sont abattus,

Et tu triomphe de tes ennemis quatre fois."

(Lancer la boule de l'Ouest vers l'Ouest)

"Seth, où que tu sois,

Evite d'amener tes pas à proximité,

Rebrousse chemin, détourne ta face,

Si tu approches pour agir par violence contre le corps de

Dieu,

il lancera du feu contre toi ;

mais si tu n'approches pas pour agir par violence il sera pacifique.

Car Râ frappe ta tête, brise tes articulations, tes os, anéantit ton ba,

Pour que tu n'avances pas pour voir le Dieu grand.

Allons, dresse-toi Osiris, qui est à la tête de l'Occident,

Vois, ceux qui te sont rebelles sont abattus,

Et tu triomphe de tes ennemis quatre fois."

(Lancer la boule de l'Est vers l'Est)

(Redresser le pilier djed sur le tapis d'argile verte puis se mettre au signe de Ka et dire) :

"Je suis celui qui se tient debout derrière le pilier djed".

(Aspersion d'eau et fumigation du pilier et dire) :

"Debout Osiris !

Ton épine dorsale, tu la possèdes à présent,

Monte donc sur ton piédestal, Ô Osiris !

Inpou, Djehouty, Nebt-het, Het-Her et Aset t'ont ouvert le chemin !

"Ô toi qui amènes l'eau dans un lieu éloigné,

Thot, Ô fontaine douce à l'homme altéré dans le désert,

Elle est scellée pour le bavard,

Elle est ouverte pour le silencieux ;

Il vient le silencieux et il trouve la fontaine."

"Tu réfléchis avant d'agir, tu te respectes, tu fuis les vices, tu pratiques la justice en acte et en parole, tu écoutes, patiemment, en paix, sans malice ni colère, serviable, charitable, tu es justifié !"

(méditez un moment sur toute la symbolique que vous venez d'accomplir et le sens profond de ce rituel)

CLOTURE

(Procédez comme pour le rituel général).

Un rituel pour la voie Horienne

Ce rituel est complémentaire avec le rituel précédent.

En effet, il concerne cette fois les grands mystères, c'est à dire la voie solaire, du feu.

Dans ce rituel il s'agira de mimer un changement d'état de conscience, un passage d'une conscience individuelle à la Conscience universelle.

En effet, après la lutte victorieuse en Osiris contre l'égo et la conquête du coeur, il s'agit à présent de faire disparaître la dualité, par confondement, par offrande du Moi, qui permet de connaître le Soi en retour d'offrande et ouvre à terme une nouvelle perspective, celle de la délivrance finale.

Horus le "vengeur", est justement l'énergie vitale, la force domptée, maîtrisée de Seth, c'est Horus "l'héritier", qui a réussi à sauver le "patrimoine" de son père, et donc, qui, sur la base du centre osirien, de son coeur déterré, va accomplir le processus de renaissance spirituelle et pouvoir monter l'échelle, gravir un à un les degrés, suivre le rayon de la Maât, jusqu'à

Amon-Râ.

PREPARATION

Nous allons dans ce rituel utiliser l'oeil oudjat que nous positionnerons à l'Est, une petite pyramide en cristal de roche que nous positionnerons au centre, une ankh à l'ouest et l'Horus ailé au nord à proximité donc des trois luminaires ; nous éditerons aussi le hiéroglyphe d'Horus sur un bout de parchemin ou papyrus, que nous glisserons ensuite sous la pyramide de cristal centrée :

Her

Le reste du Temple sera bien entendu décoré comme indiqué dans le rituel général.

Cérémonie

OUVERTURE

(Procéder comme pour le rituel général)

DEMANDE

(Se mettre au signe du Ka et dire) :

"Je suis le lotus pur qui se lève auprès de Râ,

Je descends chercher Horus le majestueux."

"Horus cueille et réunit les membres de son père car il est son rédempteur ; son oeil divin,

La source de vie des millions d'êtres, est unique, il est le maître des mondes."

"Ô, oeil d' Horus, délivre mon âme, place la tel un joyau sur le front de Râ".

"A l'égal d'un grand faucon d'or qui sort de son oeuf, je prends mon envol vers le Ciel.

Je porte mon coeur ; en vérité, Râ est présent devant moi et écoute mes paroles.

J'ai pris place parmi les Neterou, les champs des bienheureux s'étendent à perte de vue devant mes yeux ; ils me nourriront.

Je vis au gré de mon coeur, l'usage de mon larynx m'a été rendu et je garde la maîtrise de ma tête."

" Voici que j'accomplis mes voyages, j'entre et je sors

selon la puissance de mon verbe.

Je contemple mes formes successives créées par la puissance de mon âme.

Aset (Isis) me protège ; avec son appui je réforme le grand Tout de mon Être.

En vérité, je suis un Esprit du nombre des corps glorieux (Sahu),

Je parcours à volonté les cycles des métamorphoses.

Je suis couronné en faucon divin, un sahu, ainsi que Hor l'est dans son âme."

"Parvenu devant Chou je ne serai pas repoussé ; Horus communiant avec mon âme je vois ce qu'il advient à l'intérieur de lui.

Je suis Horus, maître de son diadème, maître de sa Lumière, j'ai atteint les limites du Ciel, le troisième oeil d'Horus immobile au milieu de son front me fixe."

"En vérité je suis celui qui marche vers la pleine Lumière du jour, j'entoure de mes bras le sycomore sacré, lui en retour m'ouvre ses bras gracieux".

(Toujours au signe du ka dire):

"Eveille-Toi grand Dieu, éveille-Toi en paix."

"Je suis Ton fils Horus, je m'élève vers Toi et voyage à travers la pyramide ; je connais la symbolique, la portée et la responsabilité du nombre 777".[236]

(Méditer un moment)

CLOTURE

(Procéder comme dans le rituel général).

236 Voir l'explication du nombre *supra*

Le rituel du Naos

Lors du rituel général, le tout premier, nous avons donné l'exemple, au coeur de la demande, d'une cérémonie d'installation du Naos.

Ce rituel complémentaire a donc pour objet de rendre le culte à Amon de manière régulière afin de vous familiariser avec ses énergies, permettre donc une meilleure efficacité perceptible pour tous les rituels égyptiens que vous entreprendrez, et bien sûr prouver notre reconnaissance et gratitude envers notre Créateur et favoriser l'échange d'offrandes.

Les conditions de la vie profane "moderne" ne permettent que rarement à tout un chacun de se livrer à un culte quotidien, j'en suis conscient.

Il serait toutefois souhaitable de le faire de façon hebdomadaire, idéalement le week end en pleine journée ou si c'est encore trop lourd encore pour vous, au moins **une fois par mois** minimum.

A l'heure astrologique du soleil serait un must ; pour cela, vous pouvez calculer automatiquement l'heure propice du jour selon votre localité via internet.[237]

Les prêtres égyptiens procédaient à ce genre d office dans les Temples au quotidien, leur but étant de maintenir un lien puissant avec le Ciel et faire que le Dieu habite réellement dans le Naos.

Pour toutes ces raisons, je vous propose à présent le rituel suivant :[238]

---

237 Par exemple sur https://www.tempus-magis.fr/

238Attention, pour ce rituel spécifique l'ouverture et la fermeture sont dans un mode exceptionnellement allégé.

PREPARATION

Installez sur votre table basse la nappe blanche, le papyrus IAAOU, les trois luminaires, le naos et la statuette (qui est normalement dedans), **l'encens oliban SEUL**, le charbon, de l'huile essentielle de pin et son diffuseur, les allumettes, l'éteignoir, la soucoupe et l'aliment, la boisson, pour les offrandes.

<u>Cérémonie :</u>

Allumez vos trois luminaires avec une seule allumette, le premier à l'Est en disant :"Amon", puis celui du Sud : "Râ" et enfin celui du Nord : "Ptah", puis allumez le charbon, déposez y quelques grains d'encens **oliban** et diffusez[239] une huile essentielle de pin.

Mettez vous au signe du Ka et dites trois fois de suite : "I-A-A-OU"

.

(recueillez vous un moment, puis refaites le signe de ka et dites) :

"Ô Amn, mon père caché qui se révèle aux chercheurs de Lumière,

J'ouvre ce Temple aujourd'hui en Ton honneur, sur la

239 Via une lampe-diffuseur (10 gouttes pour 3/4 d'eau)

terre comme au ciel et pour l'éternité."

(Prendre la statuette dans la paume des deux mains, faire avec le tour de l'autel en partant depuis le nord dans le sens solaire, puis de retour à votre place devant l'autel, mettre une goutte d'huile d'olive avec l'index sur la tête de la statue, puis pulvérisez dessus un peu d'eau consacrée du pulvérisateur et dites) :

"Tu es l'Esprit pûr qui demeure en Noun pour l'éternité".

(fumiger la statuette avec l'encens oliban et dire de nouveau) :

"Tu es l'Esprit pûr qui demeure en Noun pour l'éternité".

(Placer la statuette dans le Naos, et mettre le tout sur le parchemin ou papyrus où est inscrit IAAOU et dire une dernière fois) :

"Tu es l'Esprit pûr qui demeure en Noun pour l'éternité".

(fermer la porte du Naos, puis flairer la terre,

Revenez au signe du Ka et dites) :

"*Hommage à toi Amon, Dieu bon et très aimé,*

Seigneur du trône des deux régions,

Roi du Ciel, Prince de la Terre,

Maître de la Vérité, auteur des hommes,

Des choses d'en bas comme des choses d'en haut,

Roi du midi et Roi du Nord,

Beau de visage et possesseur des diadèmes,

Maître du temps, auteur de l'éternité et qui porte la double plume,

Maître des radiations produisant la Lumière,

Donnant ses deux mains à celui qu'il aime,

Ton oeil renverse les impies, perce le Noun,

Toi qui exauce les prières,

Grand de l'Amour,

Venu nourrir les êtres intelligents,

Les coeurs vivent de Toi,

Ta beauté s'en empare,

Tu es l'Unique, produisant toutes choses,

Qui donne le souffle à qui est dans l'oeuf,

Nous nous inclinons devant Toi et rendons grâce car Tu

nous a créé !

Viens en paix, Père des Nétérou et notre père à tous, qui demeure en nous pour l'éternité !"

(Se recueillir un moment et méditer)

Eteindre les 3 lumières sans souffler (avec votre éteignoir) dans l'ordre inverse de leur allumage (c'est à dire Nord, Sud et Est) en disant : "Ptah, Râ, Amon".

Terminer par la triple acclamation "I-A-A-OU".

CONCLUSION

La sagesse égyptienne n'est pas morte, puisque nous pouvons de nouveau l'étudier, la comprendre directement,[240] et choisir librement de suivre (ou non) sa voie, ses concepts et sa pratique, qui se rattache à la Tradition primordiale.

Bien mieux, en ces temps de matérialisme outrancier et d'égoisme, elle peut être une Lumière utile dans la nuit pour nous donner un moyen non négligeable de sortir du chaos ambiant.

Elle pourrait être ainsi l'étincelle d'une véritable révolution spirituelle, dans la paix et en chacun de nos coeurs, et non pas par la violence ou la colère séthienne, qui ne peuvent mener qu'à encore plus de souffrance, de douleur et de désespoir.

Les égyptiens diraient que c'est parce que nous avons oublié d'écouter et de servir la Maât que nous somme à présent à ce point emprisonnés dans la matière.

Appliquer la Maât, pour restaurer l'harmonie interne et "externe", se dépasser, aller au-delà de l'état humain et de ses sens physiques, Connaître les Lois cosmiques, vaincre la mort, n'est-ce pas un beau programme exaltant pour tout être humain qui ne se satisfait pas des choses matérielles et superficielles et recherche, depuis toujours, parfois sans vraiment le savoir consciemment, quelque chose qui lui manque : un vrai sens à

240Après 1500 ans de *black out*

sa vie, à la Vie, quelque chose de plus "beau", de plus "vrai" et d'éternel ?!...

ELEMENTS BIBLIOGRAPHIQUES

(par ordre alphabétique)

AMENEMOPE (Sagesse d') (Papyrus n°10474 British Muséum)

ANODEA (Judith) "Les chakras roues de la vie" MACROEDITIONS (2018)

ANODEA (Judith) "Chakra yoga" éd. Médicis (2015)

ARISTOTE "Traité de la philosophie selon les égyptiens"

ASSMANN (Jan) "Maât, l'Egypte pharaonique et l'idée de justice sociale" La maison de vie (1999)

ASSMANN (Jan) in Revue des sciences religieuses 89 n°2 (2015) p137-163

AUFRERE (S.H.?) Archéo-Nil n°7 octobre (1997) p 126

BARDON (Franz) "La clé de la véritable Kabbale" Moryason (1999)

BARDON (Franz) "Le chemin de la véritable initiation magique" Moryason (2002)

BARDON (Franz) "La pratique de la magie évocatoire" Moryason (2000)

BARGUET (Paul) "Aspects de la pensée religieuse de l'Egypte ancienne" MDV (2001)

BAUVAL (Robert) "Le mystère d'Orion" Editions PYGMALION (1997)

BAUVAL (Robert) "Le code mystérieux des pyramides" (2008)

BAKIR (A.E.M.) "The Cairo calendar n°86637" Gal Organization for Gov.Print. Offices (1966)

"La Sainte Bible" Second BIBLIO (2006)

BICKEL (Susanne) "La cosmogonie égyptienne" Editions universitaires (1994)

BUDGE (Sir E.A.Wallis) "The book of deads" Global grey (2014)

BUDGE (Sir E.A.Wallis) "The Gods of the egyptians" METHUEN & Co London (1904)

Tablette CARNAVON (Ptahotep) in E.Dévaud Fribourg (1916)

CAUVILLE (Sylvie) BIFAO 115 (2015) p37-76 "Hathor en tous ses noms"

CHABAS (François) "Le calendrier des jours fastes et néfastes" Paris MAISONNEUVE (1869)

CHAMPOLLION (Jacques-Joseph) "Egypte ancienne " (1863)

CHAMPOLLION (Jean-François) "Discours à l'Académie Delphinale" (Grenoble 1810)

CHAMPOLLION (Jean-François) "De l'écriture des anciens égyptiens (1812) (quasi introuvable)

CHAMPOLLION (Jean-François) "Lettre à Monsieur Dacier" (1822)

CHAMPOLLION (Jean-François) "Précis du système hiéroglyphique des anciens égyptiens" Paris Treuttel & Würtz (1824)

CHEREMON d'Alexandrie "Hieroglyphica" in Mémoire de la Sté Royale T3 Crapelet (1851)

CHOURAMIA (Hélène) Revue d'études antiques (2018), 108 p225-240

CLEMENT d'Alexandrie "Stromates"Ed. Du Cerf (2006)

"Corpus Hermeticum"Belles lettres (1984)

DE LUBICZ (Isha) "Her Bak Disciple" Flammarion (1956)

DE LUBICZ (René Adolphe) "Le temple dans l'homme Dervy (1979)

DE LUBICZ (René Adolphe) "Du symbole et de la symbolique" Dervy (2002)

DE ROUGE (Emmanuel) "Bibliothèque égyptologique (1862) n°21 p 235

DE ROUGE (Emmanuel) "Conférence sur la religion des anciens égyptiens" De Soye (1869)

DESROCHES-NOBLECOURT (Christiane) "Toutankhamon, Vie & mort d'un pharaon" (1966)

DIODORE (de Sicile) "Bibliothèque Historique" Forgotten books (2019)

DRIOTON (Etienne) et VANDIER (Jacques) "L' Egypte, des origines à la conquête d'Alexandre" PUF (1938)

ENEL "Le mystère de la vie et de la mort" Maisonneuve (1966)

ENEL "Les origines de la génèse" Maisonneuve (1985)

ENEL "La langue sacrée" Maisonneuve (1995)

ENEL "La trilogie de la rota" (Dervy 1993)

ENEL "Gnomologie" Omnium (1959)

FABRE D OLIVET (Antoine) "La langue hébraïque restituée" PARIS (1815)

FA ROUT (Dominique) "Images ou hiéroglyphes ? " Pallas (2011)

FERMAT (André) "Le livre des deux chemins" MDV (2011)

FERMAT (André) "Le livre de Chou" Maison de vie (2011)

FORTUNE (Dion) "La cabale mystique" ADYAR Editions (1990)

GADRE (Karine) "Conception d'un modèle de visibilité d'étoiles à l'oeil nu ; application à l'identification des décans égyptiens" (2008)

GALLADA (Mustapha) "Ancienne Egypte : Les racines du christianisme" TEHUTI (2018)

GOYON (Jean-Claude) BIFAO (1975) p 349-399 "Les révélations du mystère des quatre boules"

GREBAUT (Eugène) "Recueil de travaux" fasc. XII (hymne à Amon-Râ) Librairie A;Franck (1873)

GUENON (René) "Aperçus sur l'initiation"Omnia veritas (2017)

GUENON (René) "Mélanges"Gallimard (1990)

GUENON (René) "Le symbolisme de la croix" véga (2007)

GUENON (René) "Initiation et réalisation spirituelle"Omnia veritas (2017)

GUENON (René) "Symboles de la science sacrée" Gallimard (2010)

GUILMOT (Max) "Les initiés et les rites initiatiques en Egypte ancienne" Laffont (1977)

HERODOTE "Histoire de l' Egypte" T2 belles lettres (2002)

Papyrus IMOUTHES New York (MMA 35.9.21)

JAMBLIQUE "Mystères" belles lettres (1989)

KIRCHER (Athanasius) "Oedipus Aegyptiacus"Hachette (2012)

KOLPAKTCHY (Grégoire) "Livre des morts des anciens égyptiens" Dervy (2002)

"Le Kybalion"Unicursal (2018)

LAROUSSE (Dictionnaire)

LAUVERGNE (Vincent) "Traité des encens" Editions TRAJECTOIRE (2018)

LEITZ (Christian) "Tagewählerei: Das Buch h t nhh ph.wy dt, undverwandte Texte. Ägyptologische Abhandlungen," Bd. 55. 2 vols. Harrassowitz, Wiesbaden, Germany (1994)

LEPSIUS (Karl) "La religion et la mythologie des anciens égyptiens" (1885)

papyrus Leiden T32 in B.H. Stricker "De egyptische Mysteriën OMRO Vol 31 et 34 (1950)

LEXA (François) 'La Magie dans l'Egypte antique" Geuthner (1925)

"Le Livre des respirations" P.J. De Horrack, Len Pod (2017)

LORET (Victor) "le Kyphi, parfum sacré des anciens égyptiens" (1887)

MANETHON "history of egypt" by WG Waddell Harvard university press (1940)

MASPERO (Gaston) "Histoire ancienne des peuples de l'orient" Decoopman (2017)

MASPERO (Gaston) "Etudes de mythologie et d'archéologie égyptiennes Ernest Leroux Editeur Tome 1 Paris (1893) Vol.1

MASPERO (Gaston) "Recueil de travaux" 16ème année Editions Bouillon (1894)

MATHIEU (Bernard) "Les enfants d'Horus, théologie et astronomie" ENIM 1, (2008) p7-14

MATHIEU (Bernard) "Les couleurs dans les textes des pyramides" ENIM 2, (2009) p 25-52

MORET (Alexandre) "Rituel du culte divin"Annales du musée Guimet Tome 14 LEROUX (1902)

MORYASON (Alexandre) "La lumière sur le royaume" ed. Moryason (1986)

ORTIZ (Don Ernesto) "Les mémoires akashiques" Editions VEGA (2015)

PAPUS "La science des nombres" CHACORNAC (1934)

PIERRET (Paul) "Le livre des morts des anciens égyptiens" Editions LEROUX Paris (1882)

PLOTIN Les Ennéades Tome 2 par M.N. BOUILLET Paris HACHETTE (1859)

POIMANDRES (Hermès trismégistos) par L. Ménard chapitre.com (2014)

PORTAL (Frédéric) "Les symboles des égyptiens comparés à ceux des hébreux" Paris Librairie Orientale (1840)

papyrus Prisse (Kagemni et Ptahotep) Alphascript (2010)

REGEN (Isabelle) "Quand Isis met à mort Apophis" Cahiers de l'ENIM (2015) p 247-271

RICARD (Matthieu) "l'art de la méditation" NIL (2008)

ROSMORDUC (Serge) "Document numérique" (2002)/3-4 (Vol.6), p 221 à 224 Editions Lavoisier

SLOSMAN (Albert) "L'astronomie selon les égyptiens" OMNIA VERITAS (1983)

SLOSMAN (Albert) "Le livre de l'au-delà de la vie" Ed.

BAUDOUIN (1979)

SPENCE (Kate) "Ancient egyptian chronology and the astronomical orientation of pyramids", Nature (2000) Vol.408 p 320 (Issue 6810)

STEINER (Rudolf) "L'initiation"Triades (2002)

SUARES DE LA TORRE (E?) "Revue internationale de religion, divination et magie" 26 (2013) p161

"Tao Te King" Synchronique (2012)

"Textes des Pyramides" par C. Carlier, Cybèle (2009)

"Textes des sarcophages" par C. Carlier, Ed. Du rocher (2004)

TODOROV (Zvetan) "Théories du symbole" Points Essais (2017)

TOLLE (Eckhart) "Mettre en pratique le pouvoir du moment présent" J'AI LU (2001)

Papyrus de Turin : Canon Royal de Turin (ou papyrus des Rois) in P.Pierret , Forgotten (2018)

TZETZES (Jean) "Aegyptiaca" in greek litterature in the byzantine period , Routledge (2014)

"Upanishad" dervy (2012)

VARILLE (Alexandre) "Amenhotep" IFAO (1968)

"Veda" Pantanios classics (1896)

VERNUS (Pascal) in "Actes sémiotiques" (2016), n°119

VIREY (Philippe) "Etudes sur le papyrus Prisse le livre de kaqimna et les leçons de ptah-hotep" Ed. VIEWEG Paris (1887)

VIRYA "Kabbale extatique et tsérouf Editions LAHY (2003)

VIRYA "Les 72 puissances de la Kabbale" Editions LAHY (2004)

VIRYA "Vie mystique et kabbale pratique" Editions LAHY (1995)

"Yi King" Albin michel (2012)

ZIEGLER (Christiane) "Les pierres précieuses de l'Egypte pharaonique" BSNAF (1999) p 244-251

LE PILIER
DE LUMIÈRE

"Passionné par l'Egypte ancienne, de culture familiale chrétienne, je m'initie dès l'âge de 26 ans à la Kabbalah hébraïque et à la cabale chrétienne ainsi qu'à la métaphysique via notamment De Lubicz, Virya et Guénon.

Progressivement éveillé jusqu'à mon éveil total, je bénéficie de la protection des anges notamment de l'Archange Saint Michel.

Magnétiseur exorciste, je me connecte régulièrement au Pilier de Lumière Divine par le biais de prières, Théurgie, pratique de l'Akasha, de la Kabbalah et de la Heka (magie égyptienne)...

Pour contacter l'auteur :
contact@lepilierdelumière.com
Tél.: (+33) 06.98.17.57.62
https://www.lepilierdelumiere.com

Ma philosophie

Retrouver sa véritable identité, révéler sa véritable essence.
La nature nous porte en son sein, nous sommes liés à elle depuis et pour toujours. Elle nous pousse à nous transformer et à nous accomplir en tant qu'êtres incarnés, enfants de la Terre.

Au fil du temps et de mes apprentissages auprès de nombreux courants d'enseignements j'ai affiné mon approche du soin et je suis ouverte à tous les champs de manifestation que la vie peut emprunter.
Pour moi il est primordial de s'éveiller et de se révéler à nos plus hauts potentiels, en harmonie avec les lois du vivant.
Dans ce travail de co-création du monde de demain, je m'efforce de transmettre ce que je sais pour réveiller la force qui sommeille en chacun de nous.

CHACUN D'ENTRE NOUS EST LE CHAÎNON DE LA CHAÎNE À LAQUELLE NOUS SOMMES TOUS RELIÉS

c'est une vraie philosophie émanant de la nature elle même. Cette nature qui nous sert de mémoire, de guide et de perspective.
C'est en l'observant et en la prenant pour modèle que nous pourrons nous retrouver, nous régénérer et nous épanouir en tant qu'être Humain.

Dans une approche bienveillante, je vous propose un accompagnement holistique de transformation pour retourner à un état d'harmonie dans votre corps mais aussi dans votre esprit.

Mail:
montanelli.naturopathe@gmail.com

Numéro de téléphone:
0611813785

Et si la vraie vie c'était autre chose?

Et si la vie consistait à aller vers ce qui nous rend heureux? Cette nouvelle astrologie est capable de lire en nous comme dans un livre. Le but, bien sûr, n'est pas de laisser penser qu'il est possible de tout régler facilement, mais bien de se faire expliquer nos qualités, nos forces et nos faiblesses pour nous aider à nous développer.

Cela permet d'orienter rapidement les gens vers quelque chose qui va leur correspondre. Notre avenir est décrit dans les grandes lignes. Quelle préparation devrions-nous entreprendre pour maximiser chaque étape de notre existence?

En conclusion

Ce qui m'attriste le plus, c'est de voir des gens remplis de talents mais qui n'en sont pas conscients. Ils pensent que tout le monde possède les mêmes et ainsi, passent à côté de leur richesse divine.

«Chacun mérite de bien se connaître pour aller vers les activités pour lesquelles il a un vrai potentiel et en tirer de grandes joies.»

Jean-Paul Michon
Téléphone: 418-265-4700
contact@double-zodiaque.com
www.double-zodiaque.com

À Québec: Prendre un rendez-vous SVP

Par correspondance: Première analyse de votre carte du ciel par écrit et réponses aux questions sur cette analyse par téléphone ou sur Skype: michonjp

Carte cadeau: Voir notre site web

Faites dessiner votre carte du ciel en couleur avec le Double Zodiaque

TABLE DES MATIERES

INDEX ALPHABETIQUE DES PRINCIPAUX TERMES ET MOTS CLES[241]

241Les numéros dans les parenthèses renvoient aux numéros de pages